O MAL, O BEM E MAIS ALÉM

Dados Internacionais de Catalogação na Publicação (CIP)
(Câmara Brasileira do Livro, SP, Brasil)

Gikovate, Flávio
O mal, o bem e mais além : egoístas, generosos e justos / Flávio Gikovate. – São Paulo : MG Editores, 2005.

Bibliografia.
ISBN 978-85-7255-039-0

1. Bem e mal 2. Comportamento humano 3. Casais 4. Ética 5. Relações interpessoais I. Título

05-2754 CDD-158.24

Índice para catálogo sistemático:

1. Bem e mal : Casais : Relações interpessoais : Psicologia aplicada 158.24

O MAL, O BEM E MAIS ALÉM

egoístas, generosos e justos

Flávio Gikovate

O MAL, O BEM E MAIS ALÉM
Egoístas, generosos e justos

Capa: **Alberto Mateus**
Projeto gráfico e diagramação: **Crayon Editorial**

3ª reimpressão, 2023

MG Editores
Departamento editorial
Rua Itapicuru, 613 – 7º andar
05006-000 – São Paulo – SP
Fone: (11) 3872-3322
http://www.mgeditores.com.br e-mail:
mg@mgeditores.com.br

Atendimento ao consumidor:
Summus Editorial
Fone: (11) 3865-9890

Vendas por atacado:
Fone: (11) 3873-8638
e-mail: vendas@summus.com.br

Impresso no Brasil

Apresentação

Minhas reflexões acerca dos temas da moral se iniciaram na segunda metade dos anos 1970. Decorreram de certas características que detectei ao me voltar para a análise da forma como os casais se unem. A regularidade com que pessoas com propriedades psicológicas antagônicas se encantavam umas com as outras me impressionou justamente porque estava completamente fora das expectativas probabilísticas. Quase todas as pessoas mais quietas e pouco agressivas casavam-se com criaturas de "gênio forte" e bastante extrovertidas. Casavam-se e ainda se casam.

Em 1977 publiquei o livro *Você é feliz?*, no qual descrevi em detalhe a forma de ser das pessoas mais egoístas. Naquela época se iniciavam as especulações a respeito da "Era do Narcisismo", em que parecia legal a pessoa se livrar de qualquer tipo de limite interno e tratar de viver de acordo com seus desejos. Nunca foi esse o meu ponto de vista, já que via o egoísmo como falha moral. Pensava na generosidade como virtude e no egoísmo como vício. Assim pensavam todas as pessoas "de bem".

Em 1981 publiquei *Em busca da felicidade*, livro no qual já apontava, de forma bastante enfática, minhas primeiras dúvidas acerca da "pureza" da conduta generosa. Registrava a presença de forte ingrediente relacionado com a vaidade e também alguns aspectos ligados ao jogo de poder que envolvia generosos e egoístas, sempre muito intensamente atraídos uns pelos outros.

Trabalhei com milhares de pacientes e pensei muito a respeito desse tema que, ao longo dessas décadas, sempre se confirmou como importante ingrediente relacionado com as escolhas amorosas e também como elemento básico das dificuldades que surgiam ao longo do convívio íntimo. Estudei de que forma a sexualidade se manifesta nesses dois tipos de seres humanos, de modo que a questão moral sempre esteve presente em meus livros.

Fui, muitas vezes, tratado como maniqueísta, como pessoa que só via o preto e o branco, incapaz de compreender que somos criaturas complexas. Creio que a razão para as críticas resida, mais que tudo, nas limitações que tive ao me comunicar. Nem sempre conseguimos expressar por escrito aquilo que está em nossa mente. Acredito que venho fazendo importantes avanços nesse terreno, tanto ao escrever como ao falar para platéias as mais variadas.

Acredito também que a disposição das pessoas para prestar atenção em minhas hipóteses e ponderações a respeito da questão moral também se modificou. Estou me expressando melhor, mas as pessoas também estão lendo de forma mais desarmada! Quando comecei a escrever sobre esses assuntos vivíamos sob a ditadura militar. Havia os que a ela se opunham — os do bem — e os que eram aliados dela — os do mal. Era impossível tentar convencer alguém de que os "do bem" não eram tão bons. Havia o muro de Berlim: os do lado de cá do muro achavam que o mal morava do lado de lá. Os do lado de lá achavam exatamente o contrário. Além da tradição cultural na qual todos crescemos, que sempre valorizou como digno o modo de ser generoso, vivíamos num mundo dividido, em que nos parecia indispensável tomar um partido definido.

Hoje tudo isso está diferente, e apenas algumas pessoas ainda acreditam que exista "um eixo do bem e outro do mal". Talvez seja a hora de iniciar, de forma despojada — livre dos preconceitos que constituem nossas crenças e também mais atento aos fatos do que a ideologias —, uma nova incursão no universo dos valores que vão nos guiar daqui para a frente. Temos vivido num vácuo, sem referências e sem termos onde nos ancorar nas horas de maior aflição. Talvez em virtude disso, vivemos em crescente estado depressivo.

Não tenho a pretensão e nem a competência para esgotar um assunto assim complexo e que talvez tenha mesmo de se revisto de tempos em tempos. O livro que vocês vão ler é a síntese de tudo que fui capaz de compreender a respeito da questão moral observada pela ótica que minha profissão me permitiu. Se ele servir de estímulo e impulso para que voltemos, todos nós, a nos preocupar com a constituição de um conjunto de valores capazes de nos nortear no planeta que temos modificado de forma tão radical, terá cumprido plenamente minhas expectativas.

Flávio Gikovate
abril de 2005

O Mal, o Bem e Mais Além

1 um

Li recentemente uma resenha a respeito do lançamento de um livro nos Estados Unidos cujo título em português seria *O mal: uma investigação*[*]. O autor da resenha o avaliou negativamente, entre outras razões, por não ter contribuído de forma significativa para a solução do problema proposto, ou seja, não foi capaz de construir nenhuma hipótese considerável sobre a origem do mal. O crítico, por sua vez, também não se via habilitado a responder a essa questão complexa e tormentosa, apesar de ser pessoa bastante qualificada. Sendo assim, decidi concentrar em um novo texto as diversas reflexões que venho fazendo sobre o tema desde 1977.

Por meio da leitura desse interessante texto crítico — e de alguns outros —, aprendi que o bem e o mal não são entidades efetivas. São construções, quase mitos, que foram elaboradas ao longo dos milênios e, de certa forma, transformadas em uma dualidade tida como inevitável. Deus e o Demônio lutam e lutarão para sempre! Assim, o bem depende do mal para se definir e ter existência, da mesma forma que o mal é definido por comparação com o

[*] Lance Morrow, *Evil: an investigation*, Nova York: Basic Books, 2003. Resenha de Philip Cole em *Radical Philosophy*, n. 126, julho de 2004.

bem. A grande maioria das pessoas acredita que essa dualidade nos caracteriza de forma absoluta, que somos essencialmente constituídos por duas facções antagônicas não só no campo moral, mas em tudo: o Yin e o Yang.

Minha preocupação com essa questão essencial tem crescido com o passar do tempo. Ela surgiu de forma espontânea e inesperada pela análise de como se estabelecem as relações entre as pessoas, especialmente aquelas que se constroem entre um homem e uma mulher e que determinam as alianças conjugais. **O que me surpreendeu desde o início foi o fato de que a esmagadora maioria das escolhas "voluntárias" — aquelas que se fazem de modo espontâneo e que são atribuídas ao encantamento amoroso — segue uma norma única: se dá entre pessoas bastante diferentes, opostas em certos aspectos essenciais da personalidade.** Outra constatação que me impressionou foi a percepção de que essa era a voz corrente. Ou seja, a união entre opostos era estimulada — como registravam ditados populares que diziam que "dois bicudos não se beijam", e também que "os opostos se atraem". As reflexões de Freud na sua *Introdução ao narcisismo* (1914) também seguiam caminho igual, sugerindo que o mais sofisticado, do ponto de vista psíquico, seria buscar no outro um complemento para aquilo que estaria nos faltando, em vez de procurar uma afinidade que se estabeleceria por "identificação narcísica". Isto é, uma pessoa tímida, discreta, pouco agressiva e não muito competente para reivindicar deveria se unir a alguém extrovertido, ousado, agressivo e exigente.

A união entre opostos era definida e se alicerçava na existência de dois tipos humanos antagônicos. Além disso, o surgimento de um encanto amoroso entre eles implicava o reconhecimento de dois modos válidos de ser. Implicava e implica, pois até hoje as escolhas sentimentais se fazem dessa forma, definindo uma postura social que aceita a existência de dois modos dignos e adequados de sermos humanos, apesar dos antagonismos. Podemos ser extrovertidos ou introvertidos. Podemos ter controle sobre a agressividade ou ser portadores de "pavio curto". Podemos ser estáveis no que diz respeito aos pontos de vista e ao humor ou instáveis e imprevisíveis. E assim por diante.

dois

Uma das propriedades características da nossa forma de pensar consiste no seguinte: se existe uma diferença, ela deve implicar uma hierarquia. Se há duas formas diferentes de ser, uma delas terá de ser superior à outra. Se homens e mulheres são diferentes, um é o superior e o outro, o inferior. E o critério usado para definir isso depende do observador e de seu poder. É claro que determinadas observações podem ser aceitas pela maioria e se transformar em valores sociais que se consolidam e permanecem sem grande reflexão ao longo de gerações. Isso não garante a veracidade da hierarquia estabelecida, que talvez nem exista. Foi o que aconteceu com o estabelecimento da milenar "superioridade" masculina, recentemente contestada com toda razão.

Nesse ponto me vi diante da primeira confusão e também de um primeiro foco de controvérsias. Se tomarmos como verdadeira a hipótese que venho defendendo há décadas de que o amor deriva da admiração, o encantamento entre opostos implica a valorização do tipo humano oposto a si mesmo. Ou seja, o impulsivo acha admirável o controlado — portanto, superior a ele —, enquanto o controlado valoriza mais o impulsivo. Então, de que maneira podemos definir um modo de ser como superior?

O uso de palavras como "bem" e "mal", bondade e maldade, não parece muito útil quando se pretende fazer uma avaliação objetiva do modo de ser das pessoas. Essas construções, que implicam um juízo de valor previamente constituído em nossa mente, podem prejudicar uma observação que se pretenda a mais objetiva possível — e que jamais será plena. **Não é interessante pensarmos de forma apressada em termos valorativos quando estamos tentando entender a condição humana.** O mais interessante seria tentarmos conseguir uma postura de isenção de julgamento pelo maior tempo possível durante o processo de análise. **Porém, em algum momento, a avaliação moral será inevitável, e aí deverá ser introduzida sem temores e sem nos furtarmos a ela.** Antes precisamos tentar observar nossos semelhantes da forma que olhamos os outros mamíferos. Tentar descrever seus comportamentos de maneira isenta, o que é praticamente impossível. Apesar das dificuldades, é por aí que temos de ir e tentar avançar cada vez um pouco mais.

Em psicologia podemos lançar mão de vários outros critérios para a avaliação das pessoas, estabelecendo quais são as formas de ser e de se comportar mais ou menos sofisticadas. A sofisticação consistiria, por exemplo, na capacidade de superação de comportamentos típicos das crianças pequenas e que fazem parte, de certa forma, da nossa forma natural de ser. Chamamos de imaturos, e a palavra contém uma avaliação, os comportamentos impulsivos e até mesmo agressivos próprios das crianças quando algo lhes é negado. Imaturidade significa comportamento pouco sofisticado, que não foi burilado e elaborado. **Nascemos, como regra, com uma tolerância a frustrações e contrariedades menor que aquela necessária para a vida em sociedade.**

Penso não ser um exagero afirmar que uma tolerância a frustrações menor que aquela requerida pela nossa vida prática determina a paralisação do processo de evolução emocional de uma criança. Trata-se da incapacidade de ultrapassar uma limitação "biológica" em benefício de uma demanda da "cultura" própria da sociedade em que temos de viver. Essa característica seria a mais relevante da imaturidade emocional, que se perpetua justamente porque determina a interrupção do processo de adequação da pessoa ao seu meio social. Algo ficou faltando a essas pessoas que, já adultas, lidam mal com as inevitáveis dores da vida.

As crianças que não aprendem a lidar melhor com o sofrimento — não se trata aqui de gostar de sofrer, muito menos de ir ao encontro do sofrimento; trata-se de tolerar bem aqueles que inexoravelmente nos acontecerão — interrompem outro processo extremamente importante, que é a capacidade de se colocar no lugar das outras pessoas. Essa capacidade de sairmos de nós mesmos e nos imaginarmos na pele do outro deriva da sofisticação da razão[1]. A partir de determinado grau de desenvolvimento de suas funções ganhamos a possibilidade de sair do mundo concreto — constituído pelos fatos — e nos voltarmos para o domínio do que não existe, do que imaginamos. Ao nos colocarmos no lugar do outro podemos

O Mal, o Bem e Mais Além

Flávio Gikovate

1

A questão da formação e do desenvolvimento da razão humana permanece obscura e mal resolvida. Costumo fazer uma comparação com os computadores, máquinas com as quais estamos cada vez mais nos acostumando. É como se nascêssemos com o *hardware* quase completamente formado e totalmente desprovidos de *software*. O *hardware* guarda relação direta com tudo que é biológico, inclusive com nosso equipamento genético. Já o *software* é uma das mais importantes aquisições da nossa espécie, que provavelmente viveu mais de cem mil anos já pronta para desenvolvê-lo, mas só conseguiu dar início ao processo histórico nos últimos dez mil anos, em decorrência da aquisição da linguagem, condição indispensável para o uso do potencial biológico. Assim, nossa privilegiada biologia só se tornou eficaz por meio do processo de socialização, de aquisições culturais.

Os passos iniciais da formação daquilo que chamamos de razão humana acontecem nos primeiros meses e anos de vida, com o reconhecimento das palavras que nomeiam os objetos que cercam as crianças, e depois daquelas que definem movimentos, ações e qualidades. Dessa forma, criam-se as condições para a formação de frases cada vez mais complexas, e assim o processo psíquico vai se sofisticando, sendo capaz de operações cada vez mais intrincadas e sutis. A partir de certo ponto surgem duas das mais importantes aquisições humanas: a capacidade de formar frases, que implicam pontos de vista próprios daquela determinada criança; e, um pouco mais além, a capacidade de constituir pensamentos que envolvem hipóteses, ou seja, situações que não estão sendo efetivamente vivenciadas. Assim, é criado um processo psíquico extraordinariamente complexo e de possibilidades ilimitadas, que é a nossa capacidade de imaginar aquilo que não existe. A capacidade de supor e de conjeturar possibilidades abre perspectivas inusitadas e únicas para a nossa espécie. Ela está na raiz da nossa capacidade de nos colocarmos no lugar de outra pessoa e desenvolver um efetivo sentimento moral. Está também em relação direta com a nossa capacidade de criação, essencial tanto no domínio das artes como no das ciências.

Acho importante complementar minha observação acerca da capacidade de cada criança de desenvolver seus próprios pontos de vista. Acredito que devamos levar em conta a existência de mais um importante elemento participante da formação de cada criança: ela mesma! Ou seja, além do meio social, dos pais, dos veículos de comunicação, das experiências traumáticas que eventualmente tenham ocorrido a cada uma, ainda temos de considerar a forma como ela refletiu, registrou e elaborou cada fato constitutivo de suas vivências. Assim, até mesmo gêmeos idênticos, portadores de biologia idêntica e que viveram no mesmo contexto social e familiar, poderão pensar e agir de forma muito diferente um do outro em função da maneira peculiar como elaboraram o que lhes aconteceu ao longo da vida infantil.

O tema da constituição e sofisticação da razão parece-me extremamente complexo e talvez ainda tenhamos de trabalhar por muitos anos para entendê-lo um pouco melhor. Considerar que estamos avançando muito e que em breve teremos as respostas fundamentais acerca de como o cérebro produz pensamentos é ingenuidade — ou má-fé.

---

tentar ver o mundo pelo ângulo dele, condição na qual nossa visão exclusivamente egocêntrica se quebra. Passamos a poder imaginar o que o outro está sentindo, o que implica principalmente podermos imaginar seus sofrimentos. As crianças que suportam mal as dores psíquicas tenderão a interromper esse processo de se colocar no lugar dos outros, uma vez que ele gerará novos sofrimentos, agora sentidos pela via da imaginação. Elas ficarão limitadas a uma visão simplista e egocêntrica dos fatos da vida. Terão prejuízos também no que diz respeito ao pleno desenvolvimento moral, pois, como veremos, colocar-se no lugar do outro nos possibilita levar em conta os pontos de vista e os direitos das outras pessoas.

Se avançarmos mais um passo e considerarmos a perpetuação de uma indevida intolerância a frustrações não só imaturidade mas também fraqueza, talvez consigamos, a partir daí, iniciar a dissecção necessária para equacionar a complexa questão que nos propusemos. "Fraqueza" é um termo mais comprometido com julgamento moral que "imaturidade". Essas duas palavras já podem ser comparadas a seus opostos, que seriam hierarquicamente superiores, mais adequados do que elas. Maturidade seria mais que imaturidade, e força mais que fraqueza.

Maturidade é mais que imaturidade porque aqueles que têm maior tolerância a contrariedades estão em melhores condições de aproveitar a vida real, com menos sofrimento e mais alegria. Não estou usando como critério de superioridade a idéia costumeira de que tudo que vem depois é melhor do que o que existia antes — é assim que tendemos a pensar quando ouvimos palavras como "evolução" ou "progresso". O critério seria o da qualidade de vida: é mais maduro quem vive mais alegre, mais sereno, melhor. Os indivíduos mais maduros ultrapassam mais rapidamente as turbulências e adversidades. Assim, também podem ser considerados mais fortes, uma vez que toleram tormentas maiores e até mesmo mais prolongadas. Podem seguir adiante menos magoados e menos traumatizados, o que sempre determinará um futuro mais feliz.

O primeiro juízo de valor que estou tentando estabelecer diz respeito à qualidade de vida — não está relacionado com um padrão preestabelecido do que seja o bem ou o mal. **Pessoas mais controladas, mais hábeis no trato de situações emocionais intensas – como é o caso da raiva, do ciúme, da inveja etc. – seriam as mais fortes. Aquelas portadoras de "pavio curto", que "estouram" com mais facilidade e por motivos menos relevantes, seriam as mais fracas.** Aquelas que são capazes de se colocar no lugar dos outros e se solidarizar com seus sofrimentos são as mais fortes, e as que só olham o mundo do ponto de vista do próprio umbigo são as mais fracas. As pessoas que se dedicam mais aos outros são as mais fortes, e as que cuidam mais de si mesmas são as mais fracas.

Costumamos poupar as pessoas mais fracas porque sabemos que reagirão mal a alguma situação de dor ou adversidade. Curiosamente, essas pessoas costumam ser tratadas como criaturas portadoras de maior sensibilidade, por isso nossa tendência de poupá-las. A confusão pode ser maior ainda, pois os indivíduos que têm o "pavio curto" são geralmente avaliados como portadores de "gênio forte", o que sugere que seriam criaturas até mais fortes do que as outras. A confusão no uso dos termos está, em geral, a serviço daqueles que dela tiram vantagem, de modo que é melhor tratar o assunto com mais objetividade e menos jogos de palavras. Pessoas mais fracas, e que podem ser chamadas genericamente de egoístas, são as que cuidam mais de si mesmas do que dos outros, que precisam receber mais do que dão. A meu ver, isso mostra um óbvio déficit na economia interna delas.

Aquelas pessoas que conseguem ter boa tolerância a contrariedades e às dores psíquicas desenvolvem um padrão de conduta curioso que pode ser chamado de generosidade. Parece que não se contentam em ser mais fortes e, portanto, auto-suficientes. Tudo leva a crer que necessitam desesperadamente se dedicar aos mais egoístas. A generosidade implica dar mais do que se recebe e isso é óbvio sinal de superávit na economia interna.

O que chama mais atenção na generosidade é seu caráter não obrigatório. Se os egoístas, pelo fato de não serem capazes de gerar tudo de que necessitam interiormente, têm de tentar buscar fora de si o que lhes falta, os generosos poderiam perfeitamente não sê-lo: bastaria que reservassem para si mesmos tudo que geram, ou então, que gerassem menos. Mas não é o que acontece: as pessoas generosas sentem uma espécie de compulsão por doar-se. Aí me parece lógico que direcionarão tal dedicação para aqueles que não só necessitam como a reivindicam de forma enfática, ou seja, os egoístas.

É dessa forma que se compõe uma das dualidades mais estáveis e constantes, típicas das relações humanas íntimas. A maioria dos casais é assim, da mesma forma que muitos dos elos societários, dos relacionamentos entre amigos e entre pais e filhos. Os indivíduos que conseguem ser os mais fortes e auto-suficientes parecem sentir um desejo incontrolável de exercer essa força sobre os mais fracos. Em conseqüência, perdem boa parte da auto-suficiência em virtude desse desejo. Os generosos parecem adorar doar-se aos outros, e só podem fazê-lo na direção dos egoístas, uma vez que outros generosos também vão querer doar-se.

Os generosos, quando recebem algo — e isso pode significar um simples presente de aniversário —, sentem-se um tanto diminuídos, até mesmo humilhados. Se levarmos em conta esse dado simples e de observação fácil e regular, talvez tenhamos a chave para explicar esse tipo de comportamento. A generosidade é uma ação própria dos superiores e tem por objetivo humilhar os que recebem, ou seja, os egoístas. Percebemos que nossa razão, para sofrer um desvio de rota assim pronunciado, deve estar sob a influência de um sentimento muito forte. Acho que é hora de introduzi-lo.

A vaidade[2] corresponde àquele segmento de nosso instinto sexual que se alimenta toda vez que nos sentimos fortes, quando nos destacamos, chamamos a atenção e despertamos a admiração das outras pessoas. A vaidade se caracteriza por uma sensação de excitação sexual extremamente intensa. Ela se abastece no ato de dar, no exercício da generosidade. A vaidade se ofende quando se está por baixo, ou seja, quando se recebe. A ofensa à vaidade determina a sensação da humilhação. Assim, o generoso se envaidece enquanto o egoísta se humilha.

2

O termo vaidade, presente nos textos bíblicos — de forma enfática no Eclesiastes — e também nas reflexões da grande maioria dos pensadores até o século XIX, desaparece de cena no contexto psicanalítico. É substituído, de uma maneira que considero perigosa, pelo termo narcisismo, contra o qual já me manifestei em diversas ocasiões justamente por achar que ele oculta mais do que esclarece as questões da nossa subjetividade. A vaidade é parte essencial dos fenômenos auto-eróticos, presentes desde os primeiros tempos de vida, mas que ganham enorme vitalidade a partir da puberdade. Como em psicanálise sexo e amor não se diferenciam da forma radical que considero essencial, narcisismo, que significaria amor por si mesmo, na verdade significa a presença desse importante ingrediente erótico relacionado com uma excitação difusa que sentimos quando chamamos a atenção, por razões sexuais ou não, das outras pessoas. O termo mais adequado parece-me o tradicional, o da vaidade, uma vez que narcisismo está também um tanto comprometido com posturas histriônicas, com autopromoção grosseira, com extroversão, com egoísmo e com tantas outras características que não são universais nem obrigatórias. A vaidade, por sua vez, sendo parte do instinto sexual, está presente em todas as pessoas, inclusive naquelas mais discretas e que fazem questão de se destacar por sua simplicidade e despojamento.

Cabe uma reflexão mais completa a respeito de dois aspectos essenciais relacionados com a questão da vaidade: a de que o prazer de se exibir e chamar a atenção das outras pessoas implica uma definitiva dependência do meio externo, e mais, que é enorme o anseio de ser capaz de se destacar, o que implica a busca de propriedades menos usuais, aquelas que atrairão olhares de admiração e eventualmente de desejo. Não é o caso de fazer tal aprofundamento aqui. Porém, gostaria de enfatizar que, em virtude da intensidade do desejo de destaque próprio dessa manifestação de nossa sexualidade, ela pode ser responsável por dramáticos desvios de rota, por graves erros na nossa forma de pensar e de viver. Tornamo-nos mais dependentes do que deveríamos da opinião pública e, com isso, perdemos em liberdade e criatividade. Empenhamo-nos em estafantes batalhas com o objetivo de conquistar prendas ou posições que não nos conduzem obrigatoriamente para mais perto da felicidade. Isso além do fato de que, em decorrência do caráter intenso e ao mesmo tempo efêmero dos prazeres derivados de qualquer nova conquista, tendemos a buscar repetições de forma contínua e crescente, o que caracteriza todos os vícios.

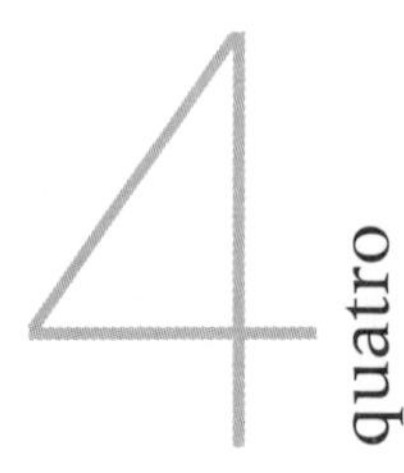

quatro

A situação vai ganhando uma complexidade que não parecia ser necessária ou obrigatória, da mesma forma que não era obrigatória a generosidade. **Porém, a partir do surgimento desse prazer em dar, reforçado pela vaidade, e da humilhação inevitável a que os egoístas se submetem por necessidade, é fácil entender a inveja[3] que o egoísta desenvolve em relação ao generoso.** Ela determina ações agressivas que surgem como reação às humilhações, uma vez que o ato de receber é reconhecido como fraqueza, como estar por baixo. Assim, o egoísta reage à "dedicação" do generoso com violência e ingratidão. Não é para menos, uma vez que registra a doação que recebeu como uma agressão que tanto o humilhou. Não tenho certeza de que as ações agressivas são típicas da nossa espécie. Penso que, na maioria das vezes, o que existe são reações, ainda que não raro sejam respostas a ações veladas ou mesmo a situações que foram interpretadas erroneamente dessa forma. Estou excluindo desse tipo de reflexão aquelas situações de extrema adversidade, nas quais, para sobreviver, uma pessoa poderá agir de forma agressiva e até mesmo brutal.

Se os generosos agem de forma compulsiva e intencional, ou seja, se desejam humilhar os egoístas, o ló-

3

A inveja corresponde a uma emoção complexa, pois se trata de uma reação agressiva que deriva da forma como lidamos com certas diferenças em relação às quais nos sentimos prejudicados. Insistimos em hierarquizar as diferenças que nossa razão reconhece. Admiramos as pessoas que são portadoras de propriedades que gostaríamos de ter. Admiramos e não nos alegramos com a diferença que nos é desfavorável. Pelo contrário, sentimo-nos ofendidos, humilhados, com nossa vaidade — que, por vezes, preferimos chamar de orgulho — ferida. Desenvolvemos um sentimento de hostilidade, como se o portador da prenda admirável fosse um agressor, alguém que nos magoa pelo simples fato de ser o portador daquilo que gostaríamos de ter. Sentimo-nos agredidos e reagimos a isso. A ação agressiva é reconhecida apenas por nós mesmos, uma vez que a pessoa portadora da prenda que admiramos e não temos não nos fez nada — ao menos formalmente. Reagimos a uma agressão detectada e decodificada como tal por nosso modo de pensar.

As manifestações agressivas da inveja aparecem, aos olhos de muitas pessoas, como ações e não reações. Isso porque não consideram a possibilidade da existência de uma forma sutil de agressão, relacionada apenas com o modo como registramos a maneira de ser e de agir de alguém a quem admiramos. Nem sempre o invejado tem a intenção de agredir com sua eventual superioridade. Mas ainda assim agride. Por exemplo, quando alguém muito rico empresta dinheiro a um parente pobre, estará agindo de forma que acabará por provocar a hostilidade invejosa daquele que recebe. Sim, porque este se sentirá humilhado, por baixo, diminuído com o fato de ter precisado de ajuda — e também sentirá vontade de estar na posição do parente rico. A forma mais delicada de invejar seria esta: apenas a de desejar estar no papel daquele que é admirado. Quando isso não é possível, surge o desejo de trazer o admirado para a sua condição; isso, quando possível, no plano da realidade; quando não, por meio de fantasias e desejos destrutivos. De todo modo, sempre que alguém emprestar dinheiro a um amigo que não puder devolvê-lo, perderá o dinheiro e também o amigo.

Minha experiência clínica me ensina que existem umas poucas pessoas que não sentem inveja. São capazes de admirar, valorizar os feitos de outra com a qual convivem, e de se alegrar de verdade por estarem por perto dos que tiveram algum tipo de sucesso. Infelizmente, são exceções raras. De qualquer maneira, gostaria de enfatizar também que a admiração é a matriz de mais uma importante emoção: o amor. A admiração tem dois filhos: o amor e a inveja. Não é à toa que essas duas emoções se encontrem tão freqüentemente dirigidas, ao mesmo tempo, a um mesmo objeto.

gico é supor que também se trata de uma reação. Assim, os generosos também teriam inveja dos egoístas. Aí está outro problema complexo e controverso. Parece indiscutível que a inveja exista. Além de tudo, a inveja, como o amor, deriva da admiração. Se os generosos se encantam sentimentalmente pelos egoístas é porque os admiram. Admiram qualidades que não têm, de modo que a inveja também se manifestará junto com o amor. **E agora? Em que os generosos se sentem inferiores aos egoístas a ponto de invejá-los? Não são os egoístas os mais fracos? Como podem os mais fortes invejar os mais fracos?**

A questão se complica e precisamos caminhar cada vez mais devagar para avançar com alguma segurança. As pessoas que desenvolvem boa tolerância às frustrações são as que também conseguem se pôr no lugar das outras e, ao imaginarem o eventual sofrimento delas, suportam essa dor indireta sem renunciar ao processo. Aprendem, por esse caminho, a respeitar os direitos alheios. Isso porque o sofrimento que as outras pessoas sentem quando são vítimas de algum tipo de injustiça também as faz sofrer. Desenvolvem um sentimento moral verdadeiro, uma preocupação com os direitos dos outros, uma convicção de que os outros têm direitos iguais aos delas. Quando descobrem que foram as causadoras do sofrimento manifestado pelos outros, sentem uma enorme tristeza, uma emoção que costumamos chamar de culpa.

Sabemos que os egoístas interromperam esse processo de se colocar no lugar dos outros justamente por causa das dores aí envolvidas. Não desenvolvem essa preocupação com os direitos das outras pessoas porque uma eventual injustiça que elas venham a sofrer não lhes provoca nenhuma dor. Não desenvolvem um verdadeiro sentimento moral, algo que está dentro de nós e que nos freia e nos limita. Seus limites só são impostos pelas circunstâncias externas, pelo medo de represálias de todo tipo. Os egoístas não sentem culpa[4]. (Isso não quer dizer que não usem a palavra, que não se digam arrependidos. Acontece que pronunciar uma palavra é bem diferente de sentir o que ela significa.) Os egoístas não têm esse freio interno que tanto limita a ação dos generosos.

4

Acho que cabe fazer algumas considerações, antes de tudo, a respeito das diferenças entre sentimentos e emoções, termos que usamos como sinônimos — o que, aliás, acontece também ao longo deste texto, uma vez que existem algumas expressões consagradas, como é o caso de "sentimento de culpa", na qual o correto talvez fosse falar em emoção de culpa. Alguns autores usam o termo "sentimento" para descrever algo que vivenciamos de forma direta, como é o caso da dor, do medo, da agressividade, do desejo sexual. Falam em emoções quando os processos são mais complexos, quando sofreram algum tipo de intervenção da razão. Aqui estariam o amor adulto e o ciúme que costuma acompanhá-lo, a inveja e também a culpa. Em todas essas situações, a razão participa determinando escolhas, como é o caso do amor e também do ciúme; estabelecendo hierarquias, como é o caso da inveja; ou ainda tentando imaginar o sofrimento presente na subjetividade de outra pessoa, como acontece com a culpa.

Insisto em meu ponto de vista de que a culpa não pode existir a não ser depois de determinado grau de sofisticação da razão, que nos permite a operação psíquica um tanto sutil de tentarmos nos colocar no papel de outra pessoa e imaginar o sofrimento dela por conta de um dano que teríamos causado. Assim, não vejo como se pode pensar na culpa como partícipe da subjetividade de uma criança de 1, 2 ou mesmo 3 anos de idade. A tristeza que deriva de nos sentirmos causadores de uma dor indevida em outra pessoa, responsável por um freio interno — uma vez que causar dor determina em nós uma dor talvez maior que aquela que eventualmente estejamos causando —, requer um adequado desenvolvimento da razão. E mais, que o processo de se colocar no lugar do outro não tenha sido interrompido em decorrência das dificuldades, presentes em grande número de crianças, de tolerar bem o sofrimento e a dor psíquica.

Parece bastante claro que a culpa corresponde a uma das emoções que mais exigem a interferência da razão, uma vez que é muito pouco fundamentada em sentimentos primitivos, se é que se baseia em algum. O amor adulto tem por base o sentimento primitivo que une as crianças às suas mães. A inveja está ligada à vaidade ofendida, e esta é componente natural do instinto sexual. A culpa depende essencialmente das operações psíquicas e da capacidade de se identificar com o sofrimento de outro ser humano, o que implica o desenvolvimento de uma adequada força interior. Não espanta, pois, que seja ausente em um número tão grande de pessoas.

Não tenho a sensação de ter esgotado a questão relacionada com a culpa, da mesma forma como penso cada vez mais que se trata de uma emoção desprovida de base inata, biológica. Talvez tenha alguma relação com a dor, por meio do processo de identificação que se estabelece ao nos colocarmos no lugar do outro. Talvez esteja ligada ao medo, naqueles casos em que ela aparece em decorrência da transgressão de algum princípio ético absoluto derivado de normas religiosas, tema polêmico que está fora dos propósitos deste livro. Um exemplo pode esclarecer melhor: quando um adolescente se masturbava e sentia-se culpado por ter agido em desacordo com sua convicção religiosa, talvez sentisse mais que tudo medo das represálias divinas. Ainda assim trata-se de questão extremamente complexa, sempre dependente de múltiplas operações psíquicas.

Se for verdade que a culpa é assim desprovida de substrato biológico, fica fácil compreender que o número de pessoas portadoras desse freio interno possa variar enormemente em cada época e em cada cultura. Ao vivermos um período como o atual, no qual a permissividade cresceu, da mesma forma como cresceu o direito das pessoas de exercer livremente seus desejos — em especial os de natureza sexual —, não é impossível que estejamos numa fase em que a culpa esteja presente em um número de pessoas bastante inferior ao que se podia observar há cem anos, época que se caracterizava por preceitos religiosos estritos, rigorosos e bem mais influentes.

O egoísta pede, exige, reivindica para si, de todas as formas, atenção e favores. Ao fazê-lo de forma enfática percebe quanto isso sensibiliza o generoso. Ao reconhecer no egoísta algum tipo de sofrimento, o generoso passa a sentir-se culpado — indevidamente. Será acusado de ser o causador daquela dor caso não satisfaça a vontade do egoísta. Se não conseguir resistir irá ceder e conceder, fará coisas que ele mesmo não gostaria de fazer. É como se o generoso ficasse escravo do seu sentimento de culpa e, por isso mesmo, sem defesa até quando as reivindicações de seus interlocutores lhe parecem absurdas e descabidas. É fato que o generoso se sente forte e, em virtude disso, adora doar-se para os outros. Porém, como os egoístas percebem que ele não é capaz de se defender do que se costuma chamar de "chantagem sentimental", passa a se sentir explorado, usado e abusado.

Assim, o generoso, em virtude dos sentimentos de culpa, torna-se uma criatura que tolera mal o sofrimento — real ou fictício — dos "outros". Isso determina sucessivas concessões que são, por ele e também pelos outros, registradas como fraqueza. Ele cede porque não consegue resistir às pressões externas, tanto as que se manifestam por meio da intimidação como as que provocam a culpa. A princípio, os egoístas exigem utilizando os recursos da intimidação. Se as ameaças não surtirem efeito, partirão para a chantagem sentimental, condição na qual passam a demonstrar forte sofrimento — até mesmo desespero. Quando o generoso cede por não ser capaz de resistir às pressões, isso é vivenciado de forma muito diferente do prazer de dar, daquilo que faz bem à sua vaidade e o faz sentir-se superior. Agora ele se sente fraco, abusado, roubado. Não conseguindo agir de outra forma, cede, e passa a acumular ressentimento e raiva contra o egoísta — além da óbvia sensação de humilhação, conseqüência de ter sido pressionado a agir contra a sua vontade.

É essencial perceber que a raiva não determinará uma alteração de conduta no sentido de tornar o generoso menos vulnerável. Ao contrário, determinará o reforço da atitude generosa, agora definitivamente desvinculada do desejo e prazer de ser útil e de doar-se aos outros. O intuito passa a ser o de humilhar, o de se vingar da humilhação sofrida. Os egoístas, por sua vez, se sentem cada vez mais invejosos com a força e a riqueza do generoso. Humilhados, reivindicam mais e mais, o que determina uma doação, por parte do generoso, cada vez mais comprometida com sentimentos hostis e agressivos. E assim por diante.

Em um contexto desses, tanto generosos como egoístas sentem-se agredidos e, é claro, são forçados a reconhecer que seus oponentes dispõem de armas poderosas. Assim, os generosos, em virtude da pouca competência para lidar melhor com os elementos constitutivos de seus sentimentos de culpa, desenvolvem uma verdadeira fraqueza em relação aos egoístas. Em conseqüência disso, perdem sua condição de superioridade e podem perfeitamente invejá-los.

cinco

Fica bastante evidente, se eu estiver conduzindo de forma correta a seqüência dos pensamentos, que o comportamento dadivoso próprio da generosidade perde, com o passar do tempo, em pureza. Se desde o início ele recebia o importante reforço da vaidade — o que já não pode ser considerado um aliado tão puro —, agora se fortalece em função do ressentimento e da raiva, sentimentos que surgem porque o generoso está se sentindo explorado. Além disso, ele terá inveja dos egoístas, que, em virtude da ausência de sentimentos de culpa, sentem-se muito menos constrangidos para aproveitar mais intensamente todos os prazeres da vida, em especial aqueles de natureza erótica. Um exemplo pode esclarecer a que estou me referindo: os homens egoístas costumam ter muito mais facilidade na abordagem das mulheres, agindo de forma direta no intuito de seduzilas e conquistá-las. Como não se preocupam com o eventual sofrimento que possam estar impondo a elas pelo fato de que delas pretendem apenas a intimidade física descompromissada, agem com uma desenvoltura impossível para o generoso, sempre atento e preocupado em não magoar. O que acontece? O generoso se sente frustrado e incompetente, uma vez que também ele desejaria aquela aproximação descontraída e sem compromisso. O que acaba acontecendo é que o generoso sente enorme inveja da liberdade de que os egoístas, devido à ausência da culpa, podem desfrutar. A inveja poderá ser tão intensa a ponto de prevalecer sobre a reflexão moral, por meio da qual seria levado a criticar a conduta desleal dos egoístas.

Em virtude de todos os componentes que reforçam a generosidade, o indivíduo vai se sentindo cada vez mais preso ao seu modo de agir, como se estivesse totalmente "viciado" nele, além do fato de que se trata do comportamento que dele sempre é esperado. Acostuma-se à idéia de que é amado por ser desse modo, e passa a temer que uma eventual recusa sua em continuar a agir dessa forma, em servir sempre a todos, implicará imediata rejeição e abandono. Acaba por achar que só é aceito em decorrência desse "a mais" que sempre consegue dar. Isso contribui para formar um sentimento de inferioridade, um sentimento de que, caso mostrasse como verdadeiramente se sente, não seria tão bem aceito.

O sentimento de inferioridade agrava-se pela autocrítica, pois se reconhece como medroso, incapaz de magoar os que o ofendem. Acaba sem capacidade para se defender de qualquer tipo de ataque, por mais indevido que seja. Isso porque não pode ferir o outro em hipótese alguma, uma vez que isso determina o surgimento de forte sentimento de culpa, o que acarreta grande dor pessoal. Não pode magoar ninguém, nem mesmo quando isso significa dizer não a um capricho de algum egoísta. Sentirá a recusa em servi-lo como egoísmo: não dar o que um egoísta reivindica indevidamente será percebido como egoísmo! **O indivíduo se sente escravo de sua dedicação tanto por razões internas como por medo da avaliação dos outros. Assim, a conduta generosa tende a se perpetuar como um vício dificílimo de ser debelado. Faz um enorme mal ao indivíduo, mas parece que o pouco de auto-estima que ela conserva provém de a pessoa ser explorada e não se negar a isso em hipótese alguma. A raiva, o ressentimento e a sede de vingança terão de existir, ainda que ocultados no porão do inconsciente, que é para onde vão as emoções e sentimentos que gostaríamos de não sentir. Sabemos que a vingança se exerce por meio do reforço da conduta generosa, que, é claro, a essa altura do processo, já deveria ter mudado de nome.**

Assim, a generosidade, que por si mesma não implica uma conduta obrigatória e que poderia perfeitamente se manifestar de forma esporádica, torna-se um padrão de comportamento constante, que a própria pessoa registra como subproduto de fraquezas pessoais: o medo e a culpa. O medo é um medo peculiar, diferente daquele que todos temos. É o medo de bater, não apenas de apanhar. É o medo de fazer o outro sofrer, ainda que como reação a uma agressão que veio dele. Trata-se, pois, de uma "bondade obrigatória", o que significa que não se trata mais de uma manifestação de força e auto-suficiência. Transformou-se em uma nova forma de dependência. Se o egoísta depende de forma direta e prática, o generoso se torna dependente porque não consegue se posicionar com firmeza diante das pessoas, especialmente dos egoístas. O convívio entre eles se torna cada vez mais obrigatório por força da admiração recíproca e da forma de ser de cada um. Porém, a intimidade será sempre atormentada por sentimentos como raiva, inveja, humilhações recíprocas e recíprocos desejos de retaliação. Trata-se de uma luta da qual nenhum dos dois pode fugir, uma vez que ninguém quer perdê-la — ela se transforma num moto contínuo desagradável e permanente.

Nenhum dos dois foge dessa luta, na qual não há vencedores. É um golpe para cá e outro para lá. O ato de dar aquilo que é indevido se torna, ao mesmo tempo, o revés e a revanche: ao doar-se cada vez mais, o generoso sente-se também cada vez mais explorado, e humilha ainda mais o egoísta, que sente-se vitorioso ao ser atendido em suas reivindicações cada vez mais absurdas, ao mesmo tempo que se sente cada vez mais humilhado pela constatação da "riqueza" do oponente. Ao nos lembrarmos que é dessa forma que vive a maior parte dos casais, não resta dúvida de que o fenômeno que chamamos de amor deve passar por uma profunda e séria reavaliação.

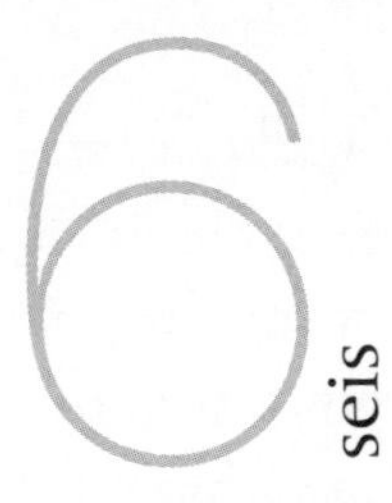

seis

É provável que um dos maiores obstáculos ao estudo dos processos psíquicos resida nos riscos que corremos quando tentamos entender o modo de ser daqueles com quem não podemos nos identificar porque nos faltam experiências subjetivas similares. Para os homens, por exemplo, é extraordinariamente difícil entender o funcionamento do psiquismo feminino. E vice-versa. Para o generoso, o egoísta é um ser estranho, e é muito difícil tentar decodificá-lo tomando por base a si mesmo. O próprio Freud, admirável observador da alma humana, talvez tenha sido incapaz de compreender de maneira adequada a questão de que estamos tratando. Quanto ao egoísmo, para ele relacionado com o narcisismo, acreditava, apostando nas aparências, que o narcisista é aquele que ama a si próprio, de modo que se torna incapaz de amar o próximo. A realidade dos fatos é bastante diferente. O narcisista não só não ama a si mesmo como não tem nenhum outro interesse que não o de ser amado, condição na qual se torna mais fácil a ação reivindicatória que o leva a receber mais do que aquilo que lhe é devido.

É possível que eu também me engane nas minhas observações. Ainda assim, penso que, depois de quase quarenta anos de trabalho, tenho o dever de expor minhas conclusões. **Penso que o egoísta, em algum momento de sua vida, se torna consciente de que os generosos o invejam (da mesma maneira que ele os inveja). Invejam a falta de freio interno que o torna livre para mentir, para enganar o próximo. Invejam a facilidade com que ele usufrui dos bens materiais que muito freqüentemente não foram obtidos com o suor de seu rosto** — os generosos costumam ser pessoas cheias de pudores quanto a isso, talvez até por medo de provocar deliberadamente a inveja nos outros, o que equivale a provocar sofrimento neles próprios. O egoísta adora se destacar e provocar a inveja dos outros. Exerce sua vaidade de forma despudorada. **Ao perceber que os generosos o invejam, passa a se exibir para eles como pessoa extraordinariamente feliz e bem resolvida — que supõe, não sem razão, ser a forma como os generosos estão olhando para ele.** Posiciona-se, pois, como quem está muito feliz consigo mesmo, como o vencedor da luta que ele sabe que não está e jamais estará ganha, uma vez que é perfeitamente consciente de sua dependência vital dos generosos.

Ao posarem de pessoas alegres, extrovertidas, sensuais e felizes, talvez continuem a enganar muitos colegas que acreditam nessa dissimulação. Penso que se trata de uma fantástica encenação, uma montagem. Não é essa a verdadeira idéia que os egoístas fazem de si mesmos. Ao menos não é a única, pois sabem muito bem que estão blefando — e isso lhes aparece de forma absolutamente consciente. Aliás, se os egoístas não são portadores de um freio moral interno, interiorizado, não sei como fica, no caso deles, a idéia psicanalítica do inconsciente. Imagino que, para que haja a subtração de um sentimento ou emoção da consciência, seja necessária a existência da instância moral interna que a determina![5]

5 Minha experiência clínica tem me levado a progressivas revisões das posições tradicionais da psicologia dinâmica, que tanto me influenciou no início da carreira. Cada vez mais me convenço de que o número de pessoas que não experimenta a culpa é maior do que se costuma pensar. Antes se dizia que só os portadores de claros comportamentos anti-sociais eram isentos de culpa. No entanto, também percebo a falta dessa emoção em todos os indivíduos mais egoístas, não apenas nos que vivem essa condição extrema. Não tenho sido capaz de identificar nas pessoas que não sentem culpa os indícios de condutas fundadas em processos inconscientes, uma vez que suas atitudes manipuladoras são absolutamente intencionais e deliberadas. Agem por impulso, é verdade, mas sempre em benefício próprio. Por vezes se arrependem de seus gestos impensados, mas isso ocorre apenas quando tais gestos trazem desdobramentos inesperados, que lhes são inconvenientes. Assim, o arrependimento é estritamente operacional e não contém a tristeza que advém de terem causado dano indevido a terceiros; isso não lhes causaria incômodo algum se não viesse acompanhado de conseqüências negativas para eles próprios.

Mesmo nos indivíduos mais generosos, aqueles que sentem a culpa de forma indiscutível, os mecanismos inconscientes parecem-me cada vez mais incomuns. O caráter permissivo da sociedade, a influência libertadora da própria psicanálise, bem como a forma como ela tem nos feito pensar sobre nossa condição, têm ajudado muito as pessoas a serem mais sinceras consigo mesmas e a aceitarem mais facilmente todos os seus sentimentos. Quase todo mundo se acha no direito de sentir inveja, de desejar a morte daqueles que lhe magoaram — talvez com a exceção de alguns casos nos quais estão envolvidos parentes próximos —, bem como cobiçar a "mulher do próximo". A impressão que tenho é que o freio moral interno continua a existir nos mais generosos, o que faz que não atuem de acordo com o que sentem. Essas pessoas aprenderam que o pensar é livre, mas que a ação terá de continuar a ser mediada por uma reflexão acerca dos direitos de cada um. Os mais egoístas tendem a tentar concretizar tudo que pensam, especialmente no domínio do desejo, uma vez que toleram mal as contrariedades derivadas de quaisquer limitações.

Por vezes penso que a descoberta da existência do inconsciente foi um golpe tão preciso do fundador da psicanálise que marcou o início do fim dessa instância psíquica. Isso porque, ao descrever as peculiaridades e o conteúdo do inconsciente, ele estava nos tornando conscientes de processos que antes desconhecíamos. Com um só golpe descobriu e fez desaparecer o inconsciente.

Os egoístas se vendem como fortes, mas sabem que são fracos, que se descontrolam quando contrariados, que são dependentes da dedicação de pessoas generosas, a quem parasitam sem pudor, mas com humilhação. São impulsivos porque pouco determinados e um tanto indisciplinados, e não porque são fortes e destemidos. (Os egoístas têm medo exatamente na mesma proporção dos generosos; o que lhes falta é o medo de magoar o próximo.) É fato que dispõem de grande capacidade de simulação, uma vez que não têm nenhum compromisso com a verdade nem com um código de valores interno. Exibem-se como criaturas legais, fortes e felizes, mesmo sabendo que não é assim que se sentem por dentro. Não têm preocupação com coerência ou rigor intelectual. São completamente diferentes dos generosos, que, desprezando as óbvias diferenças, se empenham em tentar entendê-los tomando por base a si mesmos, o que pode levar a graves enganos. Todos usam o mesmo vocabulário: dizem que amam, que sentem culpa, que não mentem etc. Usam as mesmas palavras, mas não vivenciam emoções similares. Esse perigo de malentendido está presente sempre que pessoas diferentes usam as mesmas palavras. Por exemplo: quando as mulheres dizem que "fulano é um tesão", estarão sentindo exatamente a mesma coisa que os homens sentem quando se expressam dessa maneira?

7 sete

O que parece indiscutível é que os generosos vêem os egoístas da forma como eles se apresentam, o que significa que a dissimulação é um grande sucesso. Admiram e valorizam a ousadia que deriva da falta de senso moral, o que não deixa de ser curioso por vários motivos, entre eles o fato de que, em virtude da ausência de freios internos, não é mérito algum conseguir agir "contra" os próprios generosos. Admiram a facilidade com que os egoístas usufruem os prazeres da vida material, prazeres que, aos generosos, são interditados ou limitados a pequenas cotas diárias. Sentem-se inferiorizados por força de suas limitações. Sabem, ao mesmo tempo, que os egoístas necessitam deles para tudo e, nesse aspecto, sentem-se superiores. Vivem um duplo sentimento que, por um lado, pode gerar encantamento, inveja e raiva, e, por outro, desprezo e desejo de humilhar. Sentimentos iguais existem no íntimo dos egoístas em relação aos generosos. Nenhum desses dois grupos de pessoas tão diferentes consegue definir-se de forma clara em relação aos que lhes são antagônicos. Não conseguem estabelecer uma hierarquia entre grupos assim diferentes. Além disso, graças à ambivalência de sentimentos — recíproca —, agem uns com os outros de forma violenta, cada qual lançando mão de suas armas.

Está constituído, desse modo, um contexto no qual convivemos o tempo todo com um duplo modo de ser das pessoas. Um mundo assim polarizado domina também, é claro, as relações humanas mais íntimas. Acaba por se expandir para todos os aspectos da vida social e se transmite de uma geração a outra por meio do exemplo. A polaridade cristaliza-se em concepções essenciais que, de certa forma, impregna a todos: aceitamos dois princípios divinos, os que falam de deuses e demônios, bem como os valores que, ao longo dos séculos, temos chamado de bem e mal.

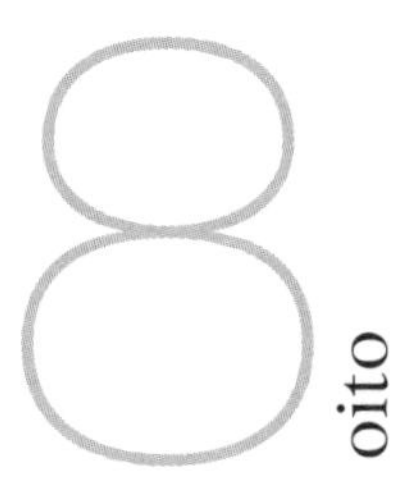

oito

Neste ponto, gostaria de fazer algumas considerações acerca da educação das crianças. **Elas crescem em lares onde, via de regra, um dos pais é generoso e o outro, egoísta (não acredito que exista qualquer distinção entre o número de generosos e egoístas em homens e mulheres, de forma que o generoso poderá tanto ser o pai como a mãe).** Cada filho fica exposto, pois, a esses dois modos de ser — isso desde a mais tenra idade. Do ponto de vista de uma criança pequena, não parece haver nenhuma diferença hierárquica entre os dois modos de ser de seus pais: ambos se mostram igualmente válidos. Isso em virtude de os pais estarem juntos e também porque as crianças presenciam vários momentos de ternura entre eles — além das brigas, que também podem ser freqüentes —, o que indica justamente a admiração recíproca (que precede o encantamento amoroso). **O primeiro filho de um casal caracterizado por essa polaridade terá liberdade para "escolher" com qual dos pais se identificará e cujos passos tentará seguir.**

É evidente que quando uso a palavra "escolha" não estou imaginando que uma criança o faça por meio do uso de sua racionalidade incipiente. Não se trata de ela entender que existem dois tipos de seres humanos no que diz respeito aos valores. Ela consegue perceber, desde muito cedo, que existem dois tipos de anatomia entre nós, que definem os dois gêneros. Mas nesse caso as diferenças são visíveis a olho nu! Nenhuma criança olha para o pai e depois para a mãe, avalia as peculiaridades de ambos e decide se identificar com o modo de ser de um dos dois. Tudo acontecerá de forma mais intuitiva e dependerá de inúmeras outras variáveis que não cabe aqui discutir à exaustão. O fato é que cada criança tenderá a fazer parte de um dos dois grupos humanos conhecidos, ou seja, não será capaz de "criar" um modo de ser próprio, diferente daquele que ela pode observar. A "escolha" dependerá das peculiaridades inatas de cada criança, do sexo dela, e a que tipo (generoso ou egoísta) pertence o pai ou a mãe do mesmo sexo, com quem ela estabelece um apego emocional mais consistente e com quem se sente mais protegida e segura. Os padrões sociais vigentes também interferem no encaminhamento das crianças, uma vez que podem determinar uma maior ou menor valorização de propriedades como a extroversão, o sucesso a qualquer custo, os valores derivados de núcleos religiosos que a família freqüente e assim por diante.

É interessante perceber que a criança será aceita em qualquer caso, seja qual for sua escolha. Terá "puxado" o pai ou a mãe, será como o "tio fulano" da família deste ou daquele. Tudo é tratado como se estivéssemos diante de um fatalismo "genético", que determina e valida ambos os modos de ser. O curioso acontece com o segundo filho: será o oposto do primeiro! Sempre

terá "puxado" o outro lado. É mais que óbvio que estamos diante de um determinante mais forte que o genético ou da simples coincidência. Estamos diante de uma das primeiras manifestações da inevitável rivalidade entre irmãos, da disputa que travam pelo amor e a atenção dos pais que, "infelizmente", têm de ser compartilhados. O segundo filho, ao ser o oposto do primeiro, ocupa o espaço que está vago naquela constelação familiar, e assim encontra o seu núcleo de atenções e gratificações. O terceiro filho será mais "livre" que o segundo, uma vez que poderá, de novo, escolher entre os dois modos de ser. Dessa forma fica composta a estrutura familiar mais comum, na qual existem os dois partidos, tanto entre os pais como entre os filhos. Reproduzem-se os modelos originais: nasce mais um "do mal" e outro "do bem" (deixarei de usar as aspas ao me referir a esses termos, apesar de elas continuarem implícitas!).

Uma reflexão mais acurada mostra que a pretensão maior dos melhores educadores, qual seja, a constituição de sentimento moral interno em todas as crianças — que, em virtude disso, seriam respeitosas, disciplinadas, dedicadas aos estudos e a todos os seus deveres —, está em franca oposição aos fatos, isto é, trata-se de uma óbvia impossibilidade. **Não há ambiente escolar capaz de se contrapor ao que acontece em casa. As crianças já chegam de dois tipos e tenderão a se comportar na escola da forma como agem com seus familiares. As mais egoístas serão as mais transgressoras; as mais generosas serão as mais bem-comportadas e esforçadas.** É claro que os fatos observáveis passam a depender de vários novos ingredientes — que não são objeto de discussão deste livro mas que devem ser mencionados, como é o caso da inteligência e também da existência ou não de aptidões especiais. Uma criança egoísta, mas muito inteligente e talentosa, poderá se destacar nos estudos apesar de sua irreverência. Ao chamar a atenção pelos bons resultados, poderá desenvolver gosto e apego aos estudos e ter ótima *performance*. Da mesma forma, crianças generosas e menos dotadas poderão perder o interesse pelas aulas e não desenvolver o prazer relacionado com a aquisição de conhecimento.

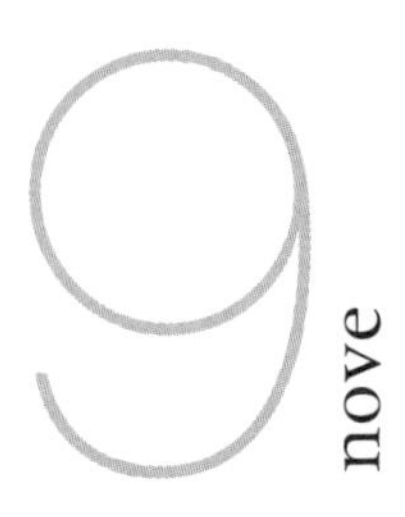

Generalizando, podemos afirmar que, do ponto de vista da evolução moral e do amadurecimento emocional, as escolas continuam na dependência do que acontece com as crianças no contexto familiar e de eventuais mudanças que aí venham ocorrer. Pelo que se fala nos dias de hoje, e que faz parte do "discurso oficial", existem sinais de que as pessoas estão percebendo a necessidade de alterações no que diz respeito à escolha dos parceiros conjugais. **Se, até poucas décadas atrás, afirmava-se que "os opostos se atraem",** como se isso fizesse parte de uma fatalidade inexorável (como acontece com os ímãs, objetos com os quais temos pouquíssimo parentesco!), **agora se fala em "almas gêmeas". Infelizmente, e por motivos complexos, a nova tese ainda não deu sinais concretos de que esteja abandonando o terreno das palavras** e caminhando na direção de modificar a ação prática da maioria dos jovens.

Entre os principais ingredientes desses complicados motivos que impedem que a nova forma de pensar se transforme mais rapidamente em fato — apesar de se tratar de uma evolução que, quando acontecer, será extremamente bem-vinda —, **cito inicialmente o mais óbvio: para que pudéssemos buscar um parceiro senti-**

mental semelhante a nós, seria necessário que fosse objeto da nossa admiração. Para que isso aconteça teremos de melhorar o juízo que fazemos de nós mesmos, de modo a deixarmos de nos encantar pelos que nos são opostos. Ou seja, teríamos de ser capazes de desfazer toda essa "trama diabólica" que descrevi até aqui.

Um segundo motivo diz respeito à viabilidade efetiva de relacionamentos entre pessoas semelhantes. A aliança entre duas pessoas generosas é bem mais factível que uma eventual união de dois egoístas. Os generosos são mais tolerantes, mais calmos, e podemos imaginá-los vivendo em harmonia — isso, é claro, se forem capazes de aprender, ainda que de forma precária, a receber um pouco mais. Os egoístas, mais descontrolados e impulsivos quando expostos a contrariedades, tenderiam a viver num estado de permanente atrito. Além disso, penso que são capazes de decodificar uns aos outros de forma bem mais adequada do que fazem os generosos (ou seja, é bem provável que os egoístas enganem muito melhor os generosos do que outros egoístas). Dessa forma, sabem que não estão bem consigo mesmos e que isso provavelmente esteja acontecendo com o eventual parceiro, o que prejudica radicalmente a admiração pelo semelhante. Além disso, a confiabilidade, tão necessária no envolvimento amoroso — uma vez que é o que pode atenuar o pavor que temos de sofrimentos relacionados com deslealdades e abandonos nessa área —, sempre será um tanto precária. Isso em virtude da falta de controle sobre as emoções próprias daqueles que são mais intolerantes e incapazes de aceitar seguidas frustrações. Além do mais, é difícil imaginar que o egoísta consiga atingir um estágio de real aceitação de si mesmo a ponto de se encantar verdadeiramente com sua "alma gêmea", fato muito incomum na vida prática.

Um terceiro motivo, que será objeto de atenção em outros momentos deste livro, está relacionado com o medo que todos sentimos da felicidade[6]. Quando nos aproximamos muito de um estado vivenciado como sendo de plenitude, de que não nos falta nada — e o amor bem-sucedido corresponde a uma das situações nas quais sentimos isso —, passamos a experimentar um medo difuso, a viver uma sensação de ameaça e de risco iminentes. Parece que alguma grande tragédia passa a nos rondar e, a qualquer momento, nos alcançará. O estado de pânico e pavor pode ser tal que não consigamos vislumbrar outra saída a não ser destruir aquilo que está "provocando" a felicidade e também o medo. Se a "causa" da felicidade for um encontro amoroso de grande intensidade, como acontece quando os afins se aproximam, o que costuma ocorrer é que aqueles que se amam encontrem motivos externos vários, e de valor relativo, para justificar a decisão de se "livrarem" daquele relacionamento. Assim, a esmagadora maioria das histórias de amor de forte intensidade termina com a separação dos amantes[7].

6

Descrevi esse mecanismo do medo da felicidade em 1980, e cada vez mais me apercebo de como ele é parte fundamental de nossos processos psíquicos, apesar de continuar negligenciado pela maior parte das pessoas, especialistas ou não. Acredito que o medo da felicidade está na raiz de todo o pensamento supersticioso que nos acompanha desde o início da história. Tem, pois, um caráter biológico essencial, e nos acompanha em proporções que podem variar de pessoa para pessoa. Quase sempre que alguém nos pergunta como vamos e respondemos que estamos bem fazemos algum tipo de ritual — por exemplo, bater três vezes na madeira —, a fim de nos protegermos da "ira dos deuses" ou da inveja do interlocutor. Há números tidos como perigosos — até hoje, em muitos prédios de Nova York, cidade referência da modernidade, não existe o andar de número 13!

Penso que se trata de um fenômeno um tanto complexo e que se manifesta de modo claro após a puberdade — isso na maior parte das pessoas. Minha hipótese é que corresponda a uma vivência traumática universal — o trauma do nascimento —, ativado por ingredientes relacionados talvez com a vaidade e outros processos psíquicos posteriores. (Não se trata de fato raro nas fobias que dada experiência traumática, adormecida durante anos, de repente venha à tona em função de algum acontecimento novo relevante.) Acho que pode ser mais ou menos assim: estávamos no útero, onde nosso cérebro se formou, em uma condição quase homeostática; lá estava tudo mais ou menos em ordem. Talvez esse seja o nosso primeiro registro psíquico, registro evidentemente não-verbal e por isso mesmo difícil de ser apagado. O registro seguinte corresponde à dramática ruptura desse equilíbrio: a hora do parto. Ou seja, nascer é uma transição da harmonia para a desarmonia. Estávamos no Paraíso e dali fomos expulsos. Assim, buscamos o tempo todo voltar à condição original de paz e harmonia — embora, depois de ativado o psiquismo, essa condição passe a ser vivida como extremamente tediosa. Ao nos aproximarmos dessa condição ideal, o que acontece de forma especialmente marcante quando nos sentimos aconchegados por uma pessoa que é objeto do nosso amor, experimentamos primeiro a plenitude para, logo em seguida, sentirmos medo de que ela, de novo, possa ser rompida por uma experiência dramática — agora talvez por conta da nossa própria morte ou da morte de alguém muito especial. Diante de tal possibilidade, é claro que tenderemos a evitar ou mesmo destruir a tão sonhada condição paradisíaca.

7

Não é o caso aqui de repetir as considerações exaustivas acerca do fenômeno amoroso, tema de dois dos meus mais significativos livros: *Uma nova visão do amor* e *Ensaios sobre o amor e a solidão.* Cabe apenas reafirmar que a paixão parece ser uma emoção constituída de dois ingredientes: um sentimento amoroso de forte intensidade, em virtude das grandes afinidades aí presentes, e um medo de intensidade enorme, justamente derivado da plenitude e felicidade que o encaixe amoroso determina. O fato concreto é que, na esmagadora maioria dos casos, o medo predomina sobre o amor e surge uma forte tendência autodestrutiva, que se encarrega de encontrar argumentos para justificar o afastamento dos que se amam. É uma pena, pois, se tivessem coragem de sustentar o relacionamento apesar do medo que sentem, perceberiam que, aos poucos, esse medo tenderia a diminuir — algo muitas vezes confundido com uma diminuição da intensidade amorosa, situação que não corresponde a uma adequada avaliação dos fatos subjetivos.

Acredito, pois, na existência de fortes mecanismos autodestrutivos em nossa subjetividade. Não atribuo sua existência a um suposto "instinto de morte", que é a forma como os psicanalistas interpretam o mesmo fenômeno. Penso que se trata de uma manifestação relacionada com o medo da felicidade, estando este em estreita relação com o nascimento, não com a morte. Desejamos e tememos o retorno ao "paraíso perdido". Não vejo como possamos buscar a morte, algo que não conhecemos. Tendemos a ser mais destrutivos justamente quando estamos muito próximos da felicidade. Isso deveria nos dar meios para limitar os efeitos destrutivos internos que talvez por ora não sejamos capazes de eliminar por completo. Sim, porque ao tomarmos ciência do mecanismo, podemos nos posicionar de forma cautelosa e discreta sempre que algo de muito bom nos acontece.

Posso citar, ainda que de passagem, um quarto motivo, relacionado com a questão sexual. O fato curioso e inesperado é que a aliança entre duas pessoas generosas, que é a forma mais comum de ligação por afinidades, costuma vir acompanhada de dificuldades sexuais, especialmente masculinas. Processos completamente diferentes acontecem nas alianças entre opostos, nas quais a sexualidade fará parte do jogo de forças e da guerra surda que se estabelece entre os que se unem dessa forma. Parece que nas relações fundadas na harmonia sentimos falta de alguns dos ingredientes que são parte essencial das nossas vivências sexuais. Fará falta a desconfiança acerca da lealdade do outro, uma vez que isso determina uma diminuição do jogo de sedução e da conquista que tanto estimula nosso erotismo. Os ingredientes mais profundos e complexos dessa trama dizem respeito à dramática associação entre sexo e agressividade, marca registrada da nossa cultura, talvez um inesperado subproduto derivado dessa guerra crônica entre o bem e o mal. Ou seja, os elementos eróticos sempre estiveram comprometidos com a inveja recíproca e fazem parte dos processos de humilhação próprios daquilo que, inadequadamente, chamamos de relacionamentos amorosos[8].

8

A dificuldade de associar o sexo ao amor é mais intensa, mais freqüente e mais visível nos homens mais generosos. Isso é um tanto óbvio, uma vez que os egoístas estão mais ocupados em ser amados do que em amar. Além disso, ao aceitarem de forma menos crítica normas culturais ainda existentes e que tendem a desqualificar as mulheres, não se empenham muito em distingui-las umas das outras. São todas "mulheres" e, portanto, criaturas tidas e tratadas com desdém. Os homens generosos tendem a admirar e a respeitar muito as mulheres capazes de lhes encantar sentimentalmente, de modo a se sentirem menores do que elas. Nessas condições apresentam enorme dificuldade de se excitar. Como o fenômeno não é idêntico em um grande número de mulheres mais generosas, elas têm dificuldade de entender o que ocorre — é difícil compreender o que não sentimos —, e atribuem as dificuldades masculinas a defeitos das mulheres ou ao fato de aqueles homens estarem mentindo ao dizerem que as amam.

Isso apenas ilustra uma das tantas dificuldades que as pessoas que vivem relacionamentos amorosos de boa qualidade têm de passar até conseguirem se acertar sexualmente. Em virtude do medo da felicidade, se a experiência sexual for muito gratificante e aumentar de forma considerável a cota de alegria, ela tenderá a ser paradoxalmente pouco freqüente: a relação é ótima e só ocorre de tempos em tempos, justamente porque as pessoas envolvidas não suportam mais que uma determinada quantidade de felicidade.

Casais que vivem brigando não têm esses problemas! Não têm medo da felicidade porque não estão próximos dela. Assim, com freqüência, têm uma vida sexual mais rica que aqueles que vivem em concórdia. Além disso, como escrevi no livro *A libertação sexual*, que trata extensamente do tema, nas brigas, há o abastecimento da raiva e das inseguranças que tanto estimulam o erotismo de quase todos nós, que fomos criados dentro desse contexto social obviamente patológico.

Quanto mais penso e reflito a respeito de todas essas questões, o que faço cotidianamente há cerca de trinta anos, mais me convenço da importância e do potencial revolucionário contido na constituição de elos amorosos de boa qualidade. Penso que tais elos são o ponto de partida para qualquer avanço social efetivo e consistente. Penso assim não apenas porque o casamento e a família ainda são o ambiente onde serão forjadas as principais características das futuras gerações, mas também porque acredito que é no seio das relações afetivas mais íntimas que se criam as melhores condições para a superação — e, infelizmente, também para a perpetuação — dessa guerra dramática que o bem e o mal travam entre si.

11 onze

Antes de prosseguir, gostaria de fazer uma observação complementar a essa minha maneira de ver e classificar as pessoas, o que pode parecer à primeira vista um tanto radical — e que, de certa forma, apenas reproduz a dualidade que tem nos acompanhado ao longo dos milênios sob o manto das especulações religiosas acerca das boas e más divindades. Creio ser essencial enfatizar minha convicção de que tanto no egoísmo como na generosidade existem peculiaridades individuais que se escondem por trás das generalizações que sou obrigado a fazer aqui. Além do mais, trata-se de uma forma de avaliar as pessoas que implica gradações. Ou seja, existem pessoas mais ou menos generosas, as que se afastam mais ou menos de um ponto de equilíbrio que estaria localizado na fronteira entre o egoísmo e a generosidade. O mesmo acontece com os egoístas, de modo que existem aqueles que estão discretamente afastados do citado ponto de equilíbrio e os que estão no extremo da escala, ou seja, os delinqüentes, aqueles desprovidos de culpa e que, além disso, não respeitam nenhuma das regras sociais, pois não sentem sequer o medo de represálias — medo esse que é capaz de frear muitas das ações dos egoístas mais próximos do ponto de equilíbrio e que também existe nos generosos, os quais, além dos freios internos, se sentem limitados por esse mecanismo externo.

Os delinqüentes, assim destemidos e totalmente inescrupulosos, despertam a admiração de outros transgressores — pessoas distantes do ponto de equilíbrio mas ainda portadoras de certos freios que derivam do fato de sentirem medo. Os "bandidos" que sentem medo admiram, valorizam e se submetem à liderança dos que são totalmente destemidos. Não admiram em nada os generosos, o que não deixa de ser uma estranha e curiosa inversão total dos valores que só se manifesta no ponto extremo da escala, no limite do egoísmo. Talvez seja interessante compreender que aqui estamos diante de dramáticas manifestações de desordens de personalidade, que determinam o pleno comportamento anti-social e, felizmente, correspondem a uma ínfima parcela da população — talvez algo entre 0,5% e 1% do total. Não são, pois, relevantes para o que me propus estudar nesta obra relativa à psicologia das pessoas chamadas "normais" por fazerem parte da grande maioria.

No extremo da escala da generosidade estariam os santos, aqueles que seriam "puro bem", para quem o ato de dar não estaria contaminado com nenhum tipo de motivação humana. Apesar de ter dificuldade de reconhecer que possam existir criaturas totalmente desprovidas de vaidade, penso que é possível que muitos de nós tenhamos alguns momentos de pura solidariedade e altruísmo. **Considero essencial distinguir altruísmo de generosidade[9]. Altruísmo corresponde a um ato de doa-**

9

Somos capazes de nos colocar no lugar das outras pessoas e imaginar o que elas possam estar sentindo. Quando elas estão sentindo dor — pelo menos é o que conseguimos perceber com base no que podemos observar —, passamos a sentir a dor que achamos que elas estão sentindo. Como sabemos, os egoístas interrompem esse processo porque suportam mal a dor. Podemos sentir as dores de pessoas com as quais não temos convivência alguma e também daquelas que nos são caras. O fenômeno do altruísmo e da solidariedade talvez esteja essencialmente relacionado com o primeiro caso, com aqueles que sofrem mas nos são distantes. Surge em nós um desejo de ajudá-los na medida das nossas possibilidades, sincero nos generosos e por vezes um tanto hipócrita e falso nos egoístas.

Essa ajuda desinteressada e fora do jogo de poder, que é o tema deste livro, nos mostra como poderia ser a vida em sociedade se estivéssemos mais atentos aos mecanismos psíquicos que nos consomem e nos embrutecem. Não são apenas os instintos que nos impedem de organizar uma ordem social compatível com a nossa inteligência, e certamente em consonância com nossos interesses. Somos vítimas de erros de avaliação, erros milenares que se transferem de uma geração para outra sem que nos ocupemos deles com a devida cautela.

A capacidade de sentir a dor do outro, quando mais próximo de nós, corresponde à compaixão. Quando está a serviço da disposição para a ajuda desinteressada — o que, via de regra, só observamos em casos de doença ou de outras tragédias entre familiares ou amigos — corresponde a fenômeno em tudo similar ao da solidariedade. Os que recebem ajuda em condições assim sinceras respondem com gratidão, não com inveja. É uma pena que consigamos observar esses fenômenos construtivos tão mais raramente do que a trama agressiva e destrutiva que estou descrevendo.

ção e dedicação de caráter impessoal. Diferentemente do que acontece na generosidade, na qual a doação se dá em direção a objetos definidos e íntimos – cônjuges, filhos, empregados –, o altruísmo se exerce de forma geral e, via de regra, é coberto pelo manto do anonimato. Surgem também situações nas quais podemos nos identificar com causas que não nos pertencem — não nos beneficiam nem nos prejudicam —, e a elas nos dedicarmos com afinco e de forma desinteressada, ao menos nos aspectos essenciais. O exemplo mais palpável desse tipo de ação é a movimentação que se observa, mesmo a distância, quando se trata de encontrar uma forma de ajuda humanitária a algum povo aniquilado pela miséria, pela fome, por alguma tragédia natural ou por uma doença epidêmica. **Essa seria a essência da solidariedade humana, propriedade construída pela evolução da nossa capacidade racional e que não encontra paralelo nos outros animais. Penso que esse é um dos pontos de partida para que sejamos finalmente capazes de tentar entender nossa espécie de forma única, bastante diferenciada de todas as outras, apesar das afinidades genéticas[10].**

10

Muitas pessoas pensam nas nossas grandes afinidades genéticas com os mamíferos superiores — qualquer coisa como 98% de genes iguais — como um argumento para explicar algumas das nossas atitudes comuns. Tais afinidades estariam fundamentadas justamente em nossas peculiaridades mamíferas. A competitividade, a luta pelas "fêmeas" e as desigualdades sociais estariam entre as propriedades inevitáveis para quem é assim aparentado dos macacos, leões e outros animais. Sem negar que tal linha de pensamento possa fazer algum sentido, tenho pensado na direção diametralmente oposta: é incrível como, dispondo apenas de 2% de genes discrepantes, somos capazes de ser e de agir de forma tão diferente!

Pode ser que tenhamos dentro de nós instintos semelhantes aos dos outros mamíferos. Pode ser que soframos a influência deles e que muitos dos nossos padrões de reflexão sobre a estrutura da vida íntima e social sejam fundamentados, sem que nos apercebamos de modo completo, em reflexões perturbadas pela interferência de tais impulsos, que nascem espontaneamente dentro de nós. Porém, o que mais nos caracteriza não é isso, mas a capacidade que tivemos, apesar das dificuldades, de construir uma linguagem capaz de armazenar informações e de transferi-las de uma geração para outra. A partir daí pudemos colecionar conhecimento, ter à nossa disposição tudo que aqueles que nos antecederam foram capazes de criar, em todos os sentidos — artístico, científico, tecnológico e mesmo de costumes e formas de organização social. Somos, pois, uma espécie que tem história. Ou como dizia, talvez de forma um tanto radical, J. Ortega y Gasset: "O homem não tem natureza; o homem tem história" (em sua obra *História como sistema*).

Penso que, graças ao desenvolvimento diferenciado do nosso cérebro, fomos capazes de desenvolver um sistema sofisticado e complexo de reflexão e também de acumulação de dados por intermédio da memória. Somos capazes de operações psíquicas incríveis, podemos inventar histórias que não aconteceram, pintar paisagens que não conhecemos, criar música capaz de nos emocionar. Para mim é muito difícil pensar nessas coisas — e em tantas outras — apenas como parte da atividade química dos neurônios. Tenho a impressão de que, a partir de determinado ponto, a razão humana (isso que constitui o conjunto do nosso pensar e sentir) ganha vida própria, como se se destacasse do cérebro e fosse inclusive capaz de influenciá-lo — além, é claro, de continuar a sofrer a influência dele e de suas condições de saúde ou doença. Talvez tenha sido essa a razão do dualismo corpo–alma tão característico do nosso modo de pensar e tão difícil de abandonar. Apesar de poder ser criticado por isso, pois sei que essa visão não está em voga, penso que se trata de uma boa forma de pensar, esta de que temos sim uma alma que surge da autonomia do pensamento em relação ao cérebro. Na já citada metáfora da informática, o cérebro seria o *hardware* e a alma, o *software*. A inter-relação entre eles é óbvia, e é evidente que minha preocupação aqui não é saber se a alma, esse elemento imaterial que nos caracteriza e nos permite todo tipo de ação diferenciada, é ou não imortal. Ela nasce do corpo, e se ela morre com o corpo ou não, saberemos oportunamente.

Tudo isso foi escrito com o intuito de reafirmar minha posição de que não acho conveniente pensarmos sobre o homem e seu destino — individual ou social — tomando por base o que acontece com os outros animais. Somos uma espécie única, sim. Temos alma e com ela podemos influenciar, modificando nossas predisposições biológicas. Somos muito mais livres para construir uma vida original que os outros mamíferos. Somos, sim, capazes de emoções sofisticadas, como a solidariedade e a compaixão. Pena que ainda não pudemos encontrar um meio de fazer que todos nós sejamos capazes disso, condição essencial para que se possa pensar em uma ordem social justa.

Penso que a etapa seguinte a ser perseguida consiste na tentativa de integrar essas considerações, extraídas essencialmente da experiência que adquiri por meio do convívio psicoterapêutico com todos os tipos de pessoas que consideramos normais, em um domínio mais amplo, o das humanidades em geral. **A primeira decorrência do que escrevi pode ser sintetizada na seguinte frase: o mal surge antes do bem.**

Explicando melhor: nascemos necessitados de receber tudo e sem a menor condição de retribuir. A menos que sejamos induzidos e estimulados sistematicamente a tentar reverter essa postura, tenderemos a permanecer nesse estado de inércia e passividade um tanto parasitária. O processo educacional é, pois, indispensável para qualquer grupo social; assim, somos impulsionados a aprender o necessário para sermos auto-suficientes. Tal aprendizado já implica uma renúncia à condição privilegiada anterior — sendo que esta pode ser considerada altamente desfavorável quando comparada com a situação que vivemos durante a fase uterina! Qualquer aprendizado significará, portanto, renúncias e exigências antes inexistentes.

Um bom número de crianças nasce com uma intolerância maior a contrariedades, de modo que terá maior dificuldade em lidar com o processo educacional — inevitavelmente relacionado com a perda de privilégios. Com freqüência, passam a maior parte do primeiro ano de vida chorando, revoltadas, talvez com as adversidades às quais passaram a estar expostas com o nascimento. Elas terão uma enorme dificuldade em aceitar as normas a elas impostas pelo grupo social a que pertencem. Tenderão a se revoltar, a continuar a agir de modo impulsivo, transformando sua intolerância em agressividade. Se não forem capazes de ultrapassar esse que é o primeiro grande obstáculo para todos nós, interromperão por aí seu processo evolutivo.

A interrupção da evolução emocional — e também da evolução moral — se dá no ponto em que cada criatura encontra um obstáculo que não consegue ultrapassar. Assim, crianças mais intolerantes à dor se travam e ficam paradas já nas primeiras etapas do processo evolutivo. Não conseguem aprender a suportar as dores próprias do processo de socialização. Mantêm, ao longo dos anos, uma conduta típica das crianças de 5 ou 6 anos de idade: persistem no egoísmo original — passividade inerente aos primeiros anos da vida; não controlam a impulsividade derivada da agressividade contra aqueles que lhes impõem normas e limitações; mantêm a incapacidade de se colocar no lugar das outras pessoas — uma vez que dependem da aquisição de alguma capacidade de sofrer, ainda que no plano do imaginário.

Penso no termo maldade como sendo o comportamento que deriva da imaturidade emocional que decorre da interrupção precoce do pleno processo de socialização. Ou seja, ela implica alguma revolta contra as normas sociais, revolta nada sofisticada e totalmente dependente de limitações pessoais derivadas da pouca tolerância a frustrações. **Já escrevi, há cerca de vinte anos, que "a maldade é filha da fraqueza".** A conduta agressiva e impulsiva que é característica da pessoa má poderá dar margem a mal-entendidos, uma vez que pode ser tratada como conduta de uma pessoa de "gênio forte". Já afirmei que a ausência de controle sobre os próprios sentimentos é sinal de fraqueza. Além do mais, a baixa tolerância à dor costuma levar a pessoa a uma postura covarde diante de situações de risco, uma vez que o fracasso implica grande sofrimento. Na prática, essas pessoas fogem de situações competitivas diretas, desistem de atividades muito rapidamente quando deparam com as primeiras dificuldades maiores, evitam envolvimentos amorosos de maior intensidade etc. Podem se posicionar como fortes e exuberantes, mas fugir de todas as situações de risco é óbvia fraqueza.

Agindo assim, é claro que se afastam cada vez mais da aquisição de uma condição de auto-suficiência (aqui, como sempre acontece em psicologia, existem inúmeras exceções). Mesmo quando adultos, se acomodam em suas limitações e tentam complementar o que lhes falta parasitando pessoas do tipo generoso. **Reafirmo a existência de graus de egoísmo, o que implica graus de**

maldade. O mal em estado puro é raro — felizmente. O medo de represálias, que também corresponde a uma forma de dor psíquica, faz que a maioria dos egoístas atue dentro de certos limites, respeitando muitas das normas sociais. Não é raro que exerçam o egoísmo de forma mais explícita justamente no convívio mais íntimo — com pais, irmãos, cônjuges, sócios e até filhos. É interessante e importante registrar que a maldade, quando exercida no convívio doméstico, costuma permanecer invisível aos olhos da maioria, e raramente está sujeita às represálias sociais, a não ser naqueles poucos casos em que haja violência física — aí incluído o estupro —, e que ela venha a ser denunciada, o que é pouco usual até hoje.

Sintetizando, creio que o mal se caracteriza pela ausência de um freio interno limitador das ações humanas. Os freios externos, relacionados com o medo e a vergonha, não são suficientes nem são limitantes adequados, pois muitas vezes é possível agir de forma impulsiva e nociva em relação aos direitos de terceiros, bem como de forma sutil e difícil de ser submetida às represálias sociais. A conduta das pessoas que respondem apenas aos freios externos fica na dependência destes, e todos sabemos que em determinados momentos da história dos povos parece haver uma espécie de supressão de normas limitadoras de condutas agressivas. Refiro-me, por exemplo, às condições de um país em guerra, situação em que a agressividade homicida contra os "inimigos" se torna não só aceitável como virtuosa. Isso vale para o nazismo, e também para os movimentos religiosos como a Inquisição, bem como para tantos outros momentos da nossa sangrenta história em que o mal se torna absolutamente banal e epidêmico.

13 treze

Não posso, de novo, deixar de manifestar minha perplexidade e indignação diante dos postulados psicanalíticos que dão como certa a existência universal do "superego". Será possível que agudos e perspicazes observadores da alma humana, especialmente Freud e seus primeiros discípulos, se equivocaram de forma assim dramática? Mesmo diante daquilo a que muitos deles assistiram na Áustria e na Alemanha nos anos que antecederam a Segunda Guerra Mundial? Penso que sim. Sei muito bem como, até hoje, é difícil ir contra um sistema de pensamento tão forte e consagrado. A verdade, porém, é que nunca consegui ser um fiel seguidor dessa ou de qualquer outra doutrina, além de ser forte minha convicção de que, em ciência, todos os dogmas estão aí para serem superados por novas observações. Trata-se de um processo dinâmico, interminável e fascinante.

Tudo nos faz crer que a capacidade de sair de nós mesmos e de nos colocarmos no lugar do outro, sem transportarmos para o outro nossas propriedades, é bastante limitada. Suponho que o processo seja mais ou menos assim: a pessoa que possui o superego pode ficar desconcertada ao tentar entender a outra que, por ser diferente, não o possui — por vezes de maneira ainda mais complexa, pois quem não sente remorsos pode afirmar que o possui. Uma forma de resolver o dilema será acreditar que aquele que está agindo com maldade não está plenamente ciente do que faz, e que sua conduta estará sendo ditada, ao menos em parte, por imperativos emocionais inconscientes. As interpretações vão ganhando complexidade e talvez tudo isso esteja fundamentado em algo muito simples: nossas diferenças são maiores do que aquelas que somos capazes de alcançar.

É fato que se trata de aventura difícil e muito arriscada essa de tentarmos nos deslocar para dentro da alma do outro de forma despojada e livre dos nossos próprios valores, tratando de nos inteirar do que ali se passa. O trabalho é similar ao dos *hackers*, indivíduos capazes de entrar no *software* dos outros para, de dentro, entender seu funcionamento — o que é bastante diferente do processo usual de identificação, por meio do qual costumamos levar o nosso *software* para o "computador" do outro, fato que gera todo tipo de engano. É difícil e os riscos de erro são grandes; menores, porém, que o erro um tanto grosseiro de tomarmos o outro à nossa imagem e semelhança.

A tarefa é absolutamente necessária para que consigamos nos familiarizar com a verdadeira dimensão de nossas diferenças, mesmo daqueles que falam a mesma língua, foram criados numa mesma cultura e se expressam por meio das mesmas palavras. Já afirmei antes que termos como "culpa" e "remorso", por exemplo, podem ser usados sem sua correspondência emocional. "Eu te amo" pode ser uma frase vazia ou corresponder a uma das manifestações mais intensas de nossa subjetividade. Só conseguimos distinguir o que efetivamente está acontecendo quando prestamos atenção no comportamento das pessoas, incluindo a sua constância e continuidade. **Numa frase, o uso das mesmas palavras não deve estar a serviço de minimizar as diferenças entre as pessoas[11].**

Uma das "propriedades" do mal consiste exatamente na capacidade de lançar mão com facilidade do recurso da mentira. O aprendizado da mentira se dá em torno dos 3, 4 anos de idade. É um "fruto" perigoso da inteligência humana, de forma que é outro elemento que nos caracteriza como espécie. Trata-se da "descoberta" — que deve ser vivida como extremamente impactante — de que se pode contar algo, descrever uma ação, de forma diferente do que de fato sucedeu. As crianças costumam usar esse recurso sutil, ao menos numa primeira fase, para se livrar de algum tipo de punição. Poderão se "aperfeiçoar" e passar a fazê-lo com o intuito de auferir benefícios indevidos. Nesse caso, já estamos claramente no domínio do mal. Quando se estabelece o cuidado com os direitos dos outros, as crianças tenderiam a parar de mentir com o objetivo de levar vantagem, porque isso implicaria prejuízo para alguém — como acontece quando alguém recebe um benefício indevido. Naqueles em que a preocupação com o outro não se consolida, a capacidade de mentir perpetua-se e tende a aprimorar-se cada vez mais. Outra vez, cabe a advertência de que mui-

11

Penso que a forma como cada alma se constitui — sofrendo a influência das propriedades de cada cérebro, do meio em que cresce, das peculiaridades da história de cada um de nós e também da forma como cada um de nós registra os mesmos acontecimentos — nos leva a concluir que somos criaturas únicas. Os estudos acerca das características de personalidade de gêmeos idênticos que cresceram no mesmo ambiente mostram isso. Eles são semelhantes em muitos aspectos, como era de esperar. Porém, têm diferenças marcantes, o que evidencia que pequenos acontecimentos individuais e a forma de pensar de cada um, diferente desde o início, podem levar a diferenciações nada desprezíveis. Existem casos de gêmeos idênticos em que um é homossexual e outro heterossexual, bem como casos em que um é egoísta e o outro generoso.

Tais dados mostram, mais uma vez, menor importância de nossa carga genética e maior importância dos fatores históricos e culturais. Creio que são tão óbvias e indiscutíveis essas evidências que me surpreendo cada vez que penso como são tantos os colegas que realmente acreditam que somos apenas o produto da química cerebral.

Acho interessante também essa tendência comum das pessoas de quererem minimizar as diferenças. Parece que elas se sentem bem e aconchegadas quando pensam nos humanos como "irmãos", como criaturas que sentem e pensam de forma parecida com a delas. Tudo leva a crer que não gostamos muito de reconhecer esse caráter único — nesses aspectos essenciais, porque nos mais superficiais, adoramos ser diferentes, o que gratifica muito nossa vaidade — porque ele nos leva a uma dolorosa sensação de solidão. Pontos de vista e formas de ser parecidas nos fazem sentir acolhidos, enquanto as diferenças e a diversidade de opiniões nos fazem sentir sozinhos, desamparados. Não adianta muito brigarmos contra os fatos. Qualquer que seja a dor que tenhamos de suportar, a verdade é que, do ponto de vista estrito, estamos todos condenados a uma "solidão radical" (Ortega y Gasset, *El hombre y la gente*).

tos dos supostos processos chamados de inconscientes são perfeitamente conscientes, e parecem confusos apenas porque as pessoas se tornam cada vez mais competentes e sofisticam cada vez mais suas mentiras.

A criança nasce totalmente dependente. Como tende a se acomodar nessa situação, terá de ser estimulada na direção da independência, da auto-suficiência. Até aí ela não é nem má nem boa. Ela é apenas um ser que está completando sua formação básica fora do útero. Os que não forem capazes de evoluir para a independência e forem ficando para trás têm de lançar mão de todos os recursos possíveis para continuar a sobreviver por conta dos outros: mentem, fazem chantagem sentimental, intimidam e usam a força física. Estão sempre em busca de benefícios indevidos, mas necessários à sua sobrevivência. Essas são as criaturas más — que diferem entre si por diversos graus e matizes — e que têm em comum o egoísmo e a ausência de normas e valores interiorizados.

As que conseguem ultrapassar esses primeiros obstáculos formam sentimentos morais internos, em boa parte por meio da imitação dos valores próprios ao meio social no qual estão crescendo. Aprendem a se colocar no lugar do próximo, aprendem que é conveniente, em caso de dilema, abrir mão dos seus direitos em favor de alguém que dá sinais de estar muito necessitado. Aprendem, pois, que aquele que renuncia aos seus direitos é valorizado, ainda que indevidamente. Crianças que abrem mão de um brinquedo que lhes pertence em favor do irmão que está chorando porque quer se apropriar do que não lhe pertence o fazem, ao menos inicialmente, com certa revolta, por medo das reações violentas do irmão, por pena e culpa diante de seu "sofrimento". Abrem mão porque não conseguem agir de outra forma.

Até aí estamos diante de uma situação adequada e, até certo ponto, compreensível: a criança que é dona do brinquedo está sendo objeto de extorsão, de tentativa de apropriação indevida do que é seu; a outra criança fará de tudo — de tudo mesmo — para consegui-lo. Se o "proprietário" do objeto desejado não for capaz de resistir sairá perdedor. Na nossa cultura, o adulto que estiver acompanhando esses fatos elogiará de forma eloqüente aquele que acabou de perder o brinquedo! Vai dizer que ele é um menino legal porque "renunciou" ao brinquedo. Assim, a criança, que vivenciara a "entrega" como fraqueza, como incompetência para se defender adequadamente, poderá agora começar a se sentir forte, superior, melhor. Será diferente do irmão, e para melhor. Sua fraqueza acabou de ser promovida a força, a virtude![12] Assim nasce o bem e suas ações, que correspondem à bondade e implicam renúncias pessoais indevidas.

O bem é, pois, uma fraqueza que foi promovida à força. Mau começo! Temos, então, de avaliar e tentar entender um pouco melhor como se constitui essa fraqueza, o que leva uma criança portadora de freios inter-

12 Devo registrar aqui meu débito: durante a escritura deste livro, reli *A genealogia da moral* e *Além do bem e do mal*, de Nietzsche. Além do prazer extraordinário que a leitura de textos assim belos me provocou, gostaria de afirmar a influência que sofri desse incrível pensador, crítico mordaz da generosidade cristã e talvez um pouco condescendente com os guerreiros — os quais não admiro. Nietzsche também registra a importância das crenças, daquilo que recebemos como normas prontas das gerações anteriores, cristalizadas na idéia de Deus e das religiões, e que impõem limites ao que seria mais natural aos humanos. Não penso que seja tarefa minha opinar sobre suas reflexões. Apenas registro aqui que foi leitura cujo impacto influenciou-me.

nos a resistir tão mal às pressões externas. Desde o fim dos anos 1970 penso sobre a importância de dissecar, do ponto de vista da psicologia, as origens do bem, isso por razões que, espero, estejam ficando claras — e outras que ainda vão aparecer — ao longo deste livro. Já nos é possível reafirmar, agora com mais dados, que, ao menos do ponto de vista cronológico, o bem nasce depois do mal. Nasce como incapacidade de resistir às pressões do mal. Nasce como fraqueza em uma ordem social que a transforma em virtude, em força.

Não é impossível que, se a norma social fosse diferente, muitos meninos na situação descrita anteriormente teriam mais força para resistir às pressões. Se, em vez de serem reforçados e valorizados como bons, como os melhores, em virtude de sua renúncia indevida, eles fossem mais bem informados sobre o que está acontecendo e estimulados a não ceder, certamente estaríamos diante de uma condição individual e social muito diferente. Para que o meio social como um todo e os membros de cada grupo familiar em particular pudessem agir de forma razoável, seria necessário que fossem capazes de ultrapassar os processos similares a que estiveram sujeitos durante seus anos de formação. Seria necessária uma dramática ruptura, uma vez que o meio social é constituído por pessoas cuja conduta encarna o sistema de pensamento e as crenças construídas ao longo das épocas anteriores.

15 quinze

A psicologia contemporânea tem perdido uma oportunidade de ouro de tentar interferir e influir modificando essas crenças. Ao contrário, de alguma forma reafirma e valida a existência desse duplo padrão de comportamento. Reconhece o egoísmo como imaturidade, mas busca explicações um tanto superficiais para sua presença na vida adulta das pessoas. São tradicionais as explicações relacionadas com sofrimentos particularmente dolorosos a que estiveram submetidas durante os anos de formação — tradicionais e nem sempre verdadeiras, pois não é fato que os egoístas tenham, como regra, sido submetidos a vivências mais traumáticas. Elas nos induziriam a desenvolver piedade em relação a eles e, reconhecendo suas fraquezas, superprotegê-los para sempre; isso para prejuízo de todos. **Os generosos poderão mesmo sentir-se superiores, privilegiados, o que significa que têm maior dever de ajudar os "coitados" dos egoístas marcados pelos "traumas" da infância. A psicologia vem confirmando, com novas palavras, a idéia de que a generosidade é uma virtude que implica obrigações a favor dos "pobres" egoístas. Uns ganham benefícios indevidos; outros ganham indevidos aplausos e elogios.**

Sempre é bom relembrar a importância da vaidade em nossa vida íntima. Na questão moral, sua intromissão é tão dramática que faz que aquele que só tem prejuízos sinta-se privilegiado. Somos tão sensíveis aos elogios — e, de certa forma, nos viciamos também nisso — que, mesmo tomando conhecimento de todas as facetas envolvidas num processo como esse, temos muita dificuldade de alterar nosso comportamento. (O "vício" tem esta implicação: não conseguirmos modificar nossa atitude mesmo quando estamos convencidos de que deveríamos fazê-lo.) Ao cuidarmos melhor dos nossos direitos, nos sentimos diminuídos, rebaixados, enfraquecidos. Com o passar do tempo, se não nos acautelamos nos tornamos cada vez menos incomodados com o fato de termos de renunciar a algo que nos pertence, e cada vez mais gratificados com a sensação de superioridade e de poder obtida por essa via. **Sentiremo-nos cada vez mais fortes e superiores por sermos capazes de suportar crescentes explorações e abusos sem nos magoarmos muito! Nada muito diferente dos religiosos que se alegravam quando se autoflagelavam.**

O generoso passa a acreditar que será bem quisto, amado mesmo, em decorrência de ser capaz de desenvolver essa "virtude". Acreditará, por força da efetiva aceitação social e também da inveja que desperta nos egoístas, que atingiu um patamar superior de evolução. **Não estou negando que a generosidade (o Bem) seja um avanço emocional em relação ao egoísmo (o Mal).** Porém, ao pensarmos sobre o tema de forma linear, parece que quanto mais generosa a pessoa for, maior será sua maturidade emocional. E isso não só não é verdade como talvez seja a causa de alguns dos maiores problemas emocionais e interpessoais. **Se o generoso se sente amado em decorrência de sua dedicação exagerada, sempre que se sentir inseguro sentimentalmente tenderá a se empenhar para ser ainda mais generoso. Se os egoístas percebem que é assim que ele procede, tratarão de se mostrar cada vez mais insatisfeitos e exigentes.** O generoso, assim cobrado, viverá em constante estado de insegurança; sim, porque os egoístas deixarão claro que ele só receberá seu "amor" se for capaz de crescente dedicação e renúncia, o que atiça ainda mais a inveja deles. **Enfim, voltamos à "trama diabólica" já mencionada.**

Dessa forma, penso que, quando se acredita que uma generosidade maior quer dizer maior maturidade emocional, se está cometendo um grande engano psicológico. E quando se pensa na generosidade suprema como a suprema virtude, se está cometendo um gravíssimo erro moral.

A verdade — como já escrevi, mas não me cansarei de repetir e de tentar cada vez mais agregar novos ingredientes ao tema — é que a generosidade se estabelece em decorrência de uma nova fragilidade e se reforça por meio da intromissão da vaidade e do fato de ser conduta valorizada como virtude pelas crenças sociais em que temos vivido. A nova fragilidade deriva justamente da força e competência dos generosos para se colocarem no lugar dos outros. Os egoístas, que não são capazes de fazer essa operação psíquica, não a possuem. Assim, sob esse novo aspecto, se tornam mais fortes que os generosos. Em que consiste essa fraqueza? Ela é composta de pelo menos dois ingredientes: o medo de magoar o outro e a falta de rigor no desenvolvimento dos sentimentos de culpa.

O medo de magoar o outro deriva de sermos capazes de nos colocar no seu lugar porque, ao agredi-lo, ainda que como forma de defesa ou de revide a uma ofensa prévia, imaginamos a dor que provocaremos nele. Como sabemos da sua dificuldade de tolerar sofrimentos de todo tipo, nos apiedamos e nos acovardamos. Assim, o covarde é aquele que tem medo de bater por não ser capaz de se sentir o causador do sofrimen-

to, ainda que merecido, no outro. Sentimos pena quando nos identificamos com o suposto sofrimento que o outro está vivendo. E esse sentimento de pena torna-se mais complexo — mesclado de culpa — se nos consideramos os causadores da dor. Trata-se de um processo que, como tudo, envolve a vaidade e uma certa sensação de superioridade: o "pobre" do outro não suportará a dor do meu revide, ao passo que eu, o mais forte, agüento o sofrimento e a arbitrariedade que ele me impôs. Tomo para mim o sofrimento porque me sinto superior e mais capaz de suportá-lo; mas principalmente porque não consegui reagir de forma adequada.

A piedade, em sua forma mais singela e pura, se manifesta de modo verdadeiro quando estamos no papel do observador. Identificamo-nos e nos entristecemos com o sofrimento de uma pessoa cuja dor não tem nenhuma relação direta conosco. Quando se trata de processos nos quais estamos envolvidos pessoalmente, pena e culpa se misturam de forma um tanto difícil de serem separadas. Como não temos sido adequadamente treinados para uma boa reflexão acerca de nossas emoções e sentimentos, muitas vezes sentimos pena ou culpa indevidamente. Basta que alguém nos acuse de sermos causadores de algum dano para que nos sintamos mal, ainda que o acusador seja um mentiroso contumaz. Já escrevi que o generoso se sente culpado — ou com pena — apenas por não ter sido generoso. Ou seja, se alguém lhe faz um pedido absurdo e ele responde negativamente, isso já é motivo para que reconheça em si traços de egoísmo.

O sentimento de culpa, aquela tristeza profunda e dolorida, deveria ser sentido apenas nos casos em que fomos de fato os causadores — voluntária ou involuntariamente — dos danos sofridos pelo outro. E quando tivermos causado dano involuntariamente, deveríamos "perdoar-nos" muito rápido, exatamente como acontece com as leis que regem a vida social, uma vez que os delitos culposos estão sujeitos a sanções bem menores que os dolosos. Não tem cabimento sentirmos culpa pura e simplesmente. **Temos de refletir com profundidade sobre o que estamos sentindo, avaliando honestamente nossa responsabilidade em cada circunstância. Caso contrário, transformaremos nosso sofisticado e importante freio interior em uma enorme fonte de fragilidade,** por meio da qual nos tornamos presa fácil das pessoas que tenham percebido que chamamos para nós a responsabilidade por crimes que não cometemos. **Transformamos o fruto precioso da nossa evolução, que nos propicia, entre outras coisas, uma adequada socialização, em uma nova fraqueza.** Caso isso aconteça, acabamos por encalhar nesse ponto, interrompendo os avanços emocionais seguintes e que são indispensáveis à nossa felicidade — em especial, essenciais à realização amorosa adulta.

17 dezessete

O sentimento de culpa pode ganhar peculiaridades ainda mais complexas — podendo até mesmo se generalizar por todo nosso mundo interior. Cito como exemplo, apenas a título de esclarecimento do que estou tentando tratar, a condição, um tanto incomum, de uma moça que tenha evoluído emocionalmente durante os anos da infância e se tornado generosa. Ao se reconhecer mais bonita que a média, inteligente e portadora de simpatia irradiante, poderá sentir-se muito mal em decorrência de ter sido assim favorecida pelo destino. Suas propriedades inatas fizeram dela uma pessoa privilegiada! Como regra, se sentirá extremamente incomodada com a inveja que desperta nas pessoas menos dotadas. Sentir-se-á extraordinariamente culpada por ser portadora de benefícios inatos capazes de magoar e "ofender", por força da inveja, seus interlocutores. O sentimento de culpa aqui é genérico, não envolvendo rostos específicos. Diz respeito a todos os que se sentiram agredidos, ainda que de forma involuntária. Aqui estamos falando não de danos devidos ou indevidos causados a terceiros, mas de danos inevitáveis.

O que faz o generoso que se encontra numa condição assim favorável? Poderá reagir de várias formas, mas duas são as mais usuais. Uma delas será agir para se prejudicar de forma deliberada e intencional. Ou seja, tratará de engordar e se enfear por todos os outros meios possíveis — negligência com os cabelos, a pele, o vestuário etc. Não desenvolverá todo o seu potencial intelectual, ao menos no sentido de obter sucesso e reconhecimento por suas atividades. Será agradável e simpática apenas para não magoar seus interlocutores, evitando qualquer tipo de benefício que possa advir de seus dotes. Tudo isso para se livrar dos desconfortos relacionados com a ameaçadora e incômoda inveja. Mas também tratará de apagar seu brilho para não magoar "os outros", uma vez que o que antecede a reação invejosa deles é o fato de se sentirem agredidos pela presença de algo assim admirável. Desse modo, o medo e a culpa determinam uma conduta recatada, discreta e que gera frutos muito menores do que aqueles que seriam devidos à pessoa — o que também pode provocar algum tipo de frustração e sofrimento interior. Por muito menos qualidades, qualquer egoísta já estaria fazendo uma enorme propaganda de si mesmo!

Outra conduta, que não exclui a anterior, consiste em o generoso se transformar em criatura excessivamente exigente consigo mesma. **É como se a posse de privilégios inatos implicasse mais que tudo obrigações e deveres maiores. O indivíduo tende a se tornar incrivelmente devotado ao trabalho e a ser muito sacrificado, isso como forma de dar "dignidade" aos privilégios que recebeu de graça. O prazer de dar, que caracteriza**

a generosidade quando ela se consolida e se acopla à vaidade, se fortalece e ganha um novo ingrediente: a sensação agradável de que as conquistas são fruto de enormes sacrifícios e renúncias. A capacidade de se sacrificar e de levar uma vida assim austera – mesmo quando desnecessária – é percebida como grande avanço moral, como indiscutível virtude. O sacrifício se torna "virtude", e o usufruto dos prazeres vira "vício". O generoso — "virtuoso" — se sente mal e envergonhado se estiver vivendo um período mais longo no qual não necessite fazer nenhum tipo de esforço especial. Ou seja, não será capaz de usufruir alguns dias de férias, mesmo quando merecidas, em virtude de serem o coroamento de enormes sacrifícios prévios.

O egoísta, como é de esperar, não teria nenhum pudor em usufruir tudo que lhe tenha cabido como privilégio inato. Se for uma moça bonita, tratará de extrair todo tipo de desdobramentos favoráveis próprios dessa condição. Fará o mesmo com a inteligência, com a simpatia e a habilidade no trato social. Tudo estará a serviço de tornar sua vida o mais fácil e amena possível. O egoísta desconhece as práticas próprias dessa "ética do sacrifício", tão ao gosto dos generosos. O egoísta não só não tem medo de provocar a inveja "dos outros" como adora isso. Ser invejado não provoca culpa, mas um agradável abastecimento da vaidade, uma vez que indica que está sendo avaliado positivamente, que está sendo visto como alguém em condição de superioridade.

Não desconsidero a inveja que o egoísta pode sentir de mais essa aquisição do generoso, qual seja a de ser capaz de infindáveis sacrifícios e esforços. Porém, penso que estamos diante de mais um caso em que a confusão se estabelece, uma vez que talvez o que predomine mesmo seja a inveja do generoso em relação ao egoísta. O generoso adoraria ser capaz de usufruir as delícias de sua condição mais favorável: gostaria muito de se sentir livre para ter os bens materiais que sua condição econômica permite mas que seus pudores "morais" interditam; teria grande prazer erótico em se exibir fisicamente e despertar o desejo "dos outros", desde que isso não provocasse o constrangimento, a sensação de futilidade e o medo de magoá-los; adoraria passar dias e dias sem fazer nada e sem se sentir culpado por isso. O que faz o generoso quando sente inveja? Trata de provocar ainda mais a inveja do egoísta exibindo sua disponibilidade, seu desprendimento, sua grandeza e superioridade. Fica, assim, reforçada de mais um ingrediente, a guerra entre os dois tipos de humanos; está sendo escrito mais um capítulo da "trama diabólica" que une o bem e o mal.

Atiçar a inveja daquele que invejamos é tudo menos algo que possa ser chamado de bondade. Trata-se de uma forma sutil, discreta e nem por isso menos violenta do exercício da agressividade. Trata-se de acertar o oponente no seu ponto fraco, no seu "tendão de Aquiles". O egoísta, que é tão competente para usufruir e se beneficiar de privilégios indevidos, sabe perfeitamente que age dessa forma porque não tem forças para ser auto-suficiente. Não age como age por gosto, mas por necessidade. O generoso, quando supre o egoísta com aquilo de que ele necessita — especialmente quando faz mais do que o essencial e graças a enormes esforços e renúncias —, está humilhando e se vingando da inveja que sente, uma vez que não se reconhece com direito de usufruir nem aquilo que ele mesmo gerou. **O egoísta usufrui o que não produz e odeia isso. O generoso não consegue usufruir nem aquilo que produz, e odeia isso. O egoísta odeia a si mesmo por isso. O generoso odeia a si mesmo por isso. O egoísta morre de inveja do generoso. O generoso morre de inveja do egoísta.**

O egoísta encalhou no primeiro obstáculo da vida, de modo que não desenvolveu boa tolerância às frustrações. Suas limitações são objetivas, relacionadas

com a vida prática. O generoso encalhou no segundo obstáculo, de modo que não aprendeu a lidar adequadamente com seu sentimento de culpa. Suas limitações são subjetivas e relacionadas com a má gestão dos sentimentos que derivam do freio moral internalizado. O egoísta é mau porque se sente e é fraco. O generoso é mau porque se sente e também é fraco. O generoso pode ser um pouco menos fraco do que o egoísta, mas também é fraco e perde para o egoísta quando ambos se confrontam diretamente. **A conclusão se impõe: a generosidade é chamada de bem e o egoísmo de mal; porém, essa é uma visão superficial e ingênua, uma vez que, na prática, o bem também é mau. O bem seria uma versão mais sofisticada do mal.**

O bem também é o mal: a conclusão causa perplexidade, mas talvez aí resida a razão principal para a persistência, ao longo dos milênios, dessa dualidade, em que um jamais vence e extermina de vez o outro. São facetas do mesmo processo, reforços permanentes um do outro, presença necessária um para o outro. A vaidade do generoso só pode se alimentar se existirem os egoístas parasitas. Assim, sejam bem-vindos os egoístas, que existem para alimentar o prazer dos generosos em serem parasitados. Bem-aventurados os generosos!

Quando penso mais profundamente a respeito da questão moral, fico cada vez mais espantado e surpreso com a quantidade de enganos graves que temos cometido na avaliação desse aspecto básico de tão grande importância para a vida íntima das pessoas e de suas relações essenciais. Impressiona-me também a serenidade com que a grande maioria dos pensadores, filósofos, psicólogos e religiosos aceita o bem e o mal como fazendo parte de uma dualidade inexorável, definitiva e sobre a qual não cabe tentar se aprofundar, com o intuito de talvez encontrar uma saída não tão contraditória. Se o bem e o mal são construções humanas, não cabe pensarmos na possibilidade de encontrarmos uma "terceira via", um caminho único que todos pudéssemos trilhar em concórdia?

Tenho me dedicado mais que tudo à avaliação dessas questões no seio das relações familiares e, de forma especial, nos relacionamentos conjugais. Já os descrevi em vários textos e, em suas linhas básicas, já os repeti aqui. Gostaria agora de tentar ir um pouco além da questão psicológica e me aventurar no terreno das relações sociais. Conheço muito bem minhas limitações, mas ainda assim acho que devo me aventurar em um território que não domino, mas cujas dificuldades não subestimo.

Não sei se compreendo perfeitamente como os fenômenos individuais transformam-se em padrões e normas da vida em sociedade, da mesma forma que não sei quantas dessas mesmas normas são as que determinam os fenômenos individuais. Tampouco sei se existem pessoas que sabem exatamente como essas passagens se processam. De todo modo, creio que em grupamentos humanos menores, como era o caso da vida nas cidades até há pouco tempo, não era tão difícil imaginar uma eventual interação entre os fenômenos individuais e sociais. Acredito que o egoísmo, ou seja, a existência de um padrão de conduta próprio dos que não conseguiram aprender a tolerar contrariedades, sempre existiu. Acredito também que essas pessoas sempre tentaram obter o que desejavam ou necessitavam por meio da força — ou seja, por intermédio da coação física, numa primeira fase, e de chantagens e ameaças de ordem psicológica, numa fase posterior.

Os egoístas são aqueles que se comportam, em todas as fases da vida — que no passado era bem mais curta —, da forma como se comportam as crianças até uma certa idade. Nascemos despidos também de valores: as crianças, em seus jogos, não manifestam qualquer tipo de pudor em magoar umas às outras, em utilizar a força física para resolver suas pendências, em usar os pontos fracos umas das outras para ofendê-las e rebaixá-las, em pegar para si a maior parte do bolo, em mentir etc. Os freios e limites vão se constituindo a partir da sofisticação do processo de socialização, do mesmo modo que acredito que as sociedades, à medida que foram se tornando mais complexas, foram também construindo normas a serem seguidas pelos seus membros. Os castigos infantis, exercidos pelos pais, são substituídos pela justiça na fase adulta, que se vale de punições que, em muitos aspectos, guardam semelhanças com as originais.

Mais uma vez me surpreendo com a precariedade do pensamento psicanalítico, que admite a presença de sentimentos de culpa em criancinhas. Não consigo imaginar como possa existir culpa em quem não tem sentimento moral internalizado, e não vejo nenhum sinal de sua presença antes dos 5 ou 6 anos de idade — isso para a maioria das crianças. Aliás, as que são capazes dessa internalização se tornam presa fácil dos que permanecem egoístas, livres de todo tipo de restrições que elas passam a ter. O mundo infantil é marcado pelo reinado dos egoístas, sendo que aquelas crianças que, de nascença, são mais medrosas e delicadas, não costumam guardar boas lembranças dessa fase da vida, época em que foram humilhadas e rebaixadas ao máximo por seus pares.

Da mesma forma, não é impossível que, numa primeira fase da vida em grupo, os egoístas se sentissem de fato poderosos por serem fisicamente mais aptos para a luta. Os que conseguiam se tornar mais tolerantes eram tratados como os mais fracos, e não eram diferenciados daqueles que agiam dessa forma apenas por causa do medo — e que devem ter sido a grande maioria, especialmente das pessoas comuns, segmento que, segundo penso, não participa ativamente da constituição das normas e regras da vida social. Os egoístas eram os senhores, e os incapazes de lhes dizer "não" eram os escravos. Estes, como grupo, vão ganhando alguma força à medida que os egoístas se tornam cada vez mais dependentes dos escravos, já que eles vão gerar uma boa parte do que os senhores necessitam. Penso que os senhores são os homens fisicamente mais fortes — e que permaneciam como egoístas —, e os oprimidos são suas mulheres e aqueles homens menos agressivos, por serem fisicamente menos aptos, mais medrosos ou menos competentes para revidar as agressões.

A inteligência é uma das nossas propriedades inatas e essenciais. Inteligências mais sofisticadas existiam, suponho, entre os egoístas, e também entre aqueles que eram oprimidos. Era inevitável que, em determinado momento, alguns oprimidos encontrassem algum tipo de saída para sua condição, uma vez que, imagino, estivessem o tempo todo tentando reverter sua situação. (Deixo de lado, por total incapacidade, qualquer tentativa de reconstrução histórica ou cronológica de dada sociedade.) Não espanta, por exemplo, que os escravos tivessem cultivado rituais religiosos por meio dos quais se sentiam competentes para se vingar das humilhações sofridas. Os "trabalhos" feitos contra os opressores eram a única forma de vingança possível. Não me surpreende também que, ao longo dos séculos, as mulheres oprimidas por seus maridos — senhores — fossem desenvolvendo estratégias e ardis de todo o tipo, com o intuito de melhorar sua posição num relacionamento desigual, no qual a força física predominava e jogava contra elas.

Não me parece absurdo supor que a generosidade vai surgindo entre os oprimidos, sendo que, numa primeira fase, a renúncia era compulsória — parecido com o que acontece com crianças mais delicadas que se vêem obrigadas a dar ou emprestar os brinquedos contra sua vontade. A inteligência se encarregou de transformar a fraqueza em força, tanto pelo acoplamento da vaidade à conduta dadivosa como em virtude da crescente percepção de que os opressores dependiam muito deles, e que essa era a sua fraqueza. Isso vai se firmando socialmente por diversos meios, inclusive por intermédio de reflexões de caráter religioso, pelas quais a generosidade se torna força e virtude — como aconteceu, de modo explícito, com o cristianismo, porta-voz dessa nova forma de ver as pessoas, na qual os perdedores no jogo da vida se transformam nos vencedores, naqueles que terão acesso ao reino dos céus (Nietzsche). Não creio que o pensamento religioso gerou esse tipo de postura nos oprimidos. Creio exatamente no contrário: o pensamento nasceu como fruto da inteligência de alguns oprimidos e se propagou por ser uma idéia que foi bem-aceita entre eles, uma vez que melhorava, e muito, sua condição. É sempre bom lembrar que a condição dos oprimidos deveria ser péssima, de modo que qualquer coisa que a atenuasse e lhes desse algum alento seria muito bem-vinda.

Desde o momento em que se estabeleceu essa dualidade entre os egoístas e os generosos — os que aprenderam a se sentir superiores por meio da renúncia e do poder relativo derivado da dependência dos primeiros —, parece que nunca se conseguiu dar uma solução definitiva para o problema da força e da fraqueza de cada um deles. Afinal, qual dos dois grupos é o mais poderoso? Nossas crenças, ou seja, o conjunto dos pontos de vista que incorporamos sem reflexão consistente[13], e que são o legado que nos chega pronto com base no que pensaram nossos ancestrais, são confusas e contraditórias. A generosidade seria a conduta virtuosa, aquela que mais agrada à divindade e que abre as portas para uma vida eterna paradisíaca. Porém, para o usufruto dos benefícios dessa vida, convém cuidar melhor de nós mesmos e nos apropriarmos de tudo que pudermos. As crenças fazem o elogio da generosidade ao mesmo tempo que sugerem que talvez seja mais conveniente ser egoísta. O generoso se prejudica aqui e leva vantagem numa suposta vida futura. O egoísta vai melhor aqui e talvez tenha problemas na "outra vida".

13 Sinto-me feliz pela oportunidade de manifestar quanto devo a esta que foi a maior influência intelectual que sofri nestes últimos anos, os da maturidade. Não costumo fazer citações bibliográficas, principalmente porque minhas idéias sempre foram mais que tudo influenciadas pela atividade profissional. Assim, se fosse para registrar débitos impagáveis, teria de fazê-lo mesmo aos quase oito mil pacientes que já atendi. No entanto, não posso desconsiderar o impacto que os livros de J. Ortega y Gasset tiveram sobre minha formação. Um deles, não dos mais conhecidos, me encanta sobremaneira. Trata-se de *Ideas y creencias*, no qual ele mostra, de forma magistral, como tantas vezes pensamos de forma singela, repetindo apenas fórmulas que aprendemos e incorporamos como nossas sem a devida avaliação crítica. As crenças são muitas, e as idéias, poucas.

Acontece que para qualquer tentativa de mudança temos de conseguir nos livrar das crenças. Isso não é fácil, pois elas funcionam como nosso alicerce intelectual, como base de uma estrutura psíquica que nos sustenta ao mesmo tempo que nos empobrece. As crenças nos reasseguram, nos impedem de termos de conviver com dúvidas. Acontece que, como dizia Ortega, nosso vigor intelectual está diretamente relacionado com a capacidade que temos de suportar dúvidas. Costumamos preferir explicações apressadas e singelas ao convívio doloroso com as dúvidas. Porém, a criatividade humana depende de nos dispormos a vivenciar o estado de desconforto próprio dos que não sabem e que são os que poderão, em algum momento, ter idéias — e não apenas repetir com pompa as velhas crenças.

É sempre importante lembrar que não se trata de uma confusão que se perpetua a propósito de um assunto qualquer, de relevância secundária. Trata-se da formação de um sistema de valores, um código que norteará a vida de cada indivíduo em suas relações íntimas, e também em todas as esferas de sua atividade social. As questões relativas ao trabalho, e principalmente aquelas relacionadas com a partição de seus frutos, têm de ser decididas de acordo com um conjunto de normas que deveriam definir a conduta de todos os membros daquela sociedade. Como discernir entre o certo e o errado se não conseguimos nos decidir acerca do bem e do mal, da generosidade e do egoísmo?

A mim não surpreende o fato de que, na prática, o egoísmo predomine naqueles indivíduos que assumem os papéis de liderança nas organizações sociais, inclusive nas complexas sociedades atuais, nas quais o jogo de forças econômicas é quase impossível de ser compreendido mesmo por pessoas bem informadas. É isso que acaba acontecendo independentemente do discurso que seja feito e das idéias que supostamente definem a conduta daquele dado grupo que pretende chegar ao poder e dirigir os destinos da vida coletiva. No caso do poder propriamente dito, o egoísmo é sempre o vencedor, graças à falta de pudor de seus portadores de pegar para si a maior fatia do bolo. No egoísta o interesse individual sempre prevalecerá sobre o bem-estar coletivo.

Seria então fato que os generosos são os fracos? Não penso assim. Os generosos são fracos no que diz respeito às disputas mais agressivas. Mas são fortes no que diz respeito, por exemplo, à geração de novas idéias. A capacidade de se colocar no lugar dos outros, de abstração em geral, é mais produtiva no que se refere à criação intelectual — o que não significa diferenças de capacidade, uma vez que existem egoístas e generosos mais ou menos inteligentes. Penso que os generosos acabam por constituir um poder à margem do poder político, poder esse, de certa forma, inter-relacionado com ele. Num exemplo extremo, é como se tivéssemos, de um lado, os guerreiros, e, de outro, os sacerdotes; de um lado, o poder político e material, e, de outro, o poder do discurso e das idéias. Os que têm o poder intelectual abastecem os detentores do poder político com idéias, de sorte que estes últimos passam a ter algum tipo de dependência dos primeiros. Os poderosos precisam se cercar dos criativos, da mesma forma que os reis e nobres do passado recebiam filósofos e artistas em suas cortes. Os generosos bem-dotados são, de certa forma, parte da classe dominante: abastecem os egoístas de idéias e deles recebem um pequeno pedaço dos benefícios materiais que eles dominam.

Os generosos produzem as novas idéias que, via de regra, têm como objetivo melhorar a condição de todos os membros da comunidade — pensam também naquela grande maioria que está excluída dessas reflexões porque participa pouco das decisões; mesmo nos dias de hoje, em nossas sociedades ditas democráticas, sua participação costuma ser manipulada por estratégias eleitorais produzidas pelas elites. Tais idéias, belas por sinal, são deformadas e transformadas pelos egoístas em instrumento de opressão da maioria. Assim, as belas idéias produzidas pelos generosos são usadas para influenciar o comportamento do povo — a maioria —, que se esforça por seguilas. Tais idéias são sugeridas pelas elites egoístas que se beneficiam da sua ingenuidade. Tais belas idéias são de natureza ideológica ou ponderações de caráter religioso. O fato é que as elites, constituídas pelos egoístas poderosos e pelos generosos que lhes abastecem de idéias, não vivem de acordo com os preceitos que pregam para o povo.

A cumplicidade entre os generosos e os egoístas do topo da pirâmide social — provavelmente, como regra, os mais inteligentes e espertos — parece-me óbvia. Tratase de duas formas diferentes de poder e de vaidade, nas quais se trava uma eterna disputa, exatamente como acontece entre casais em que um é generoso e o outro é egoísta. Trata-se de uma aliança entre duas formas de ser, ambas injustas, na qual reina o favorecimento e a inveja recíproca. O fato é que os generosos se sentem moralmente superiores, os representantes do bem, e não aceitariam a idéia de serem outra forma do mal. Os egoístas são, nesse aspecto, menos dúbios; sabem perfeitamente que estão de posse do maior pedaço do bolo e querem cada vez mais. Consideram isso legítimo e, como sabemos, não sentem culpa. Por vezes, podem até mesmo se considerar um tanto generosos, uma vez que costumam doar migalhas aos menos dotados. Os generosos, por força da culpa, tratam de resolver seus privilégios das formas já apontadas: ou se privando do usufruto do que possuem — mas de que não abrem mão por nada! — ou se esforçando para além do necessário em tarefas que os sobrecarregam — o que, por vezes, lhes rende ainda maiores recompensas, das quais estarão privados de usufruir.

Em decorrência da admiração recíproca que une generosos e egoístas, e da luta que entre eles se estabelece por força da inveja mútua, eles ficam atrelados uns aos outros de forma quase irremediável, de modo que não conseguem vislumbrar saídas para o dilema em que estão mergulhados. Independentemente das idéias que defendem e dos discursos que fazem, são e serão sempre geradores de ordens sociais tensas e injustas. Não poderia ser de outra maneira, uma vez que egoísmo e generosidade são duas formas diferentes de injustiça. Pessoas injustas não serão capazes de construir uma ordem social justa!

A complexidade da questão social surpreende-me e se torna cada vez mais palpável à medida que escrevo estas linhas. Não penso que se possa transpor diretamente para o plano da vida social aquilo que se aprende com a análise das relações interpessoais mais íntimas, que é a minha área de atuação. O social implica o surgimento de variáveis novas que apenas consigo vislumbrar, uma vez que não sou especialista no assunto. Não sei avaliar de forma clara, por exemplo, como se formam as elites, essa minoria de pessoas que prevalecerá sobre o povo, a "maioria silenciosa" que aceita sua condição talvez por ter tido menos contato com a educação formal; talvez por uma docilidade adquirida ao longo das gerações de ancestrais oprimidos; talvez, até mesmo, porque muitos nem pretendam fazer parte de elite nenhuma — já que pessoas menos vaidosas podem também ser menos ambiciosas e pensar de forma tão diferente que, por vezes, temos dificuldade de compreender.

A grande diferença no modo de ser do povo e das elites aparece, aos meus olhos, como relacionada com a vaidade, essa busca de destaque e notoriedade presente em todas as pessoas, mas muito mais intensa em algumas. É provável que exista alguma relação entre a intensidade da vaidade, na forma como a exercemos, e a inteligência[14]. A vaidade das pessoas intelectualmente mais simples se exerce de forma singela e depende de pouco para se satisfazer, ao passo que a vaidade das pessoas de inteligência mais sofisticada exige reforços mais complexos e difíceis de serem atingidos. **As elites adoram chamar a atenção por serem portadoras de propriedades raras – intelectuais, estéticas ou materiais –, ao passo que o povo se diverte chamando a atenção por muito menos. As elites exigem para si formas de ser, pensar e viver interditadas à grande maioria da população – o que tenho chamado de "felicidades aristocráticas". O povo se alegra com uma forma de viver que não se diferencia da dos seus vizinhos – buscam "felicidades democráticas".** É meu dever registrar aqui que minha experiência profissional, essencialmente voltada para a análise da subjetividade das elites, não me permite dizer que essas pessoas, que estão no topo da pirâmide social, sejam criaturas mais felizes, serenas e portadoras de maior bem-estar. Pelo contrário, estão permanentemente competindo, sempre muito incomodadas com o que "os outros" têm e elas não.

14 Tudo que eu for capaz de escrever e pensar a respeito da vaidade humana será pouco perto da importância desse sentimento que nos acompanha ao longo de quase toda a vida e no qual costumamos nos inebriar e viciar. Os que se acostumaram com algum tipo de destaque dificilmente conseguem abrir mão dele a não ser com grande sofrimento. Isso acontece mesmo quando o destaque implica hostilidades derivadas da inveja ou mesmo invasões de privacidade. O mais impressionante é que a vaidade parece perseguir principalmente aquelas pessoas mais inteligentes. Isso não acontece porque sejam portadoras de maior impulso sexual, donde penso que deriva o sentimento original, aquele que faz que uma criança de 8 ou 9 anos se sinta erotizada ao usar algum adorno novo – seja um relógio ou uma corrente ao redor do pescoço com um santo pendurado – sobre o corpo.

Penso que a vaidade, esse prazer erótico difuso relacionado com a sensação agradável que deriva de chamarmos a atenção dos outros, permeia nossos processos intelectuais de forma a determinar uma emoção final comprometida com praticamente todos os aspectos de nossa subjetividade – o que justifica a expressão do Eclesiastes que se inicia com "vaidade das vaidades: tudo é vaidade". Essa ânsia por destaque parece contaminar principalmente os cérebros mais bem-dotados de forma nem sempre muito clara para eles mesmos, o que nos indica que a inteligência nem sempre vem acompanhada de adequada auto-crítica. Pessoas muito comprometidas com sentimentos de culpa e também com ideais humanitários costumam exercer sua vaidade por meio do despojamento, o que pode dar a impressão de serem criaturas que foram capazes de domar essa peculiaridade da nossa sexualidade. Na verdade, se exibem por essa via da mesma forma que fazem aqueles que ostentam riquezas, poder e luxo. Formam-se, outra vez, dois tipos de elites: as que pretendem o destaque por meio da riqueza e ostentação dos valores tidos como os mais atraentes e aqueles que parecem desprezar exatamente os que agem dessa forma, outro tipo de destaque, já que implica uma sensação de superioridade, de menor futilidade.

As formas de expressão da vaidade são diversas, inclusive aquelas que se caracterizam pelo exibicionismo intelectual. Muitas pessoas despojadas materialmente adoram mostrar seus conhecimentos e aptidões incomuns. Buscam o destaque em outra área, mas segundo os mesmos critérios, quais sejam os de serem melhores, superiores e mais capazes do que seus pares. É indiscutível aos meus olhos, isso já há mais de vinte anos, que a vaidade é a emoção que mais estimula a competição entre nós, uma vez que está na raiz daquilo que chamamos de ambição. A ambição corresponde a uma forma de pensar e de sentir que valida o desejo de ser melhor que a média das pessoas, de se superar e também de superar os concorrentes. Nossa sociedade é claramente defensora da ambição e da competitividade. O mais triste é que aqueles que criticam o caráter competitivo da nossa forma de organização social também são ambiciosos e lutam por destaque em suas áreas de forma idêntica. Ou seja, aqueles que pretendem modificar as regras do jogo da vida em sociedade sentem e agem de forma idêntica aos que são criticados por eles. É claro que só poderemos ter mesmo repetições e que as alternâncias de poder em sociedades constituídas de elites muito parecidas não poderão deixar de redundar em mesmice.

Sonho – sonho acordado e sei muito bem que é algo que não verei – com o dia em que as pessoas mais inteligentes decidirem aproveitar a vida de outra forma, buscando serenamente atividades compatíveis com seus interesses, agindo de forma cooperativa e não competitiva. Sonho com a chegada desse dia ao menos naqueles locais que deveriam ser o reduto do saber genuíno, como é o caso das universidades. Sonho apesar de saber perfeitamente que isso implica o domínio e a domesticação da vaidade humana e de saber também que essas pessoas não conseguiram sequer detectar sua presença e muito menos a magnitude de sua influência sobre seu modo de ser e de pensar.

Os generosos que são parte da elite de determinado grupo social o são porque foram capazes de se destacar por suas aptidões intelectuais, voltadas ou não para o domínio do trabalho produtivo em empresas. Podem ser professores, profissionais liberais, pequenos e médios empresários, pessoas de bem e que perseguiram o sucesso social movidas pela vaidade e por ambições pessoais. Tais ambições muitas vezes têm de ser escondidas das próprias pessoas, e aí elas ficam camufladas por ideais coletivos de ordem política, religiosa ou mesmo científica e artística. Estou me referindo ao fato de que a maioria dos generosos bem-sucedidos se dedica a essas atividades, e não ao fato de que a maioria dos que pertencem a essas categorias profissionais são generosos. Sei muito bem que existe um bom contingente dos que atuam nessas áreas e que são bastante egoístas — não temos meios para avaliar em que porcentagem. Para eles, as ambições pessoais são explícitas e não precisam de disfarces. Os disfarces só são necessários para burlar a vigilância dos sentimentos morais rígidos e internalizados presentes nos generosos.

Tenho usado a palavra "elites" quando me refiro aos membros do topo da pirâmide social porque acho sempre importante separar os generosos dos egoístas, que constituem "elites" independentes. Os membros da elite dos generosos convivem com os que buscam diretamente o sucesso material, o destaque e a notoriedade social, além, é claro, do poder político. Os egoístas são mais objetivos e buscam atingir suas metas sem lançar mão de subterfúgios. Dedicam-se a atividades em que possam ter recompensas rápidas, e não se sentem impelidos a agir de acordo com os valores morais pregados pelo discurso oficial do meio. Nesse grupo de pessoas, daquelas que se dedicam às atividades mais definidamente focadas no resultado prático de caráter material, também estão alguns generosos, aqueles que logo foram capazes de ter uma visão um pouco mais realista da vida em sociedade. Seu número é bastante inferior ao dos egoístas "infiltrados" nas atividades de natureza intelectual.

Os egoístas são mais livres para o exercício de falcatruas de todo o tipo, beneficiam-se da posição que ocupam sem pudores. Estão presentes no universo dos grandes negócios, na política, em atividades ilícitas — jogo, tráfico de drogas — de alta rentabilidade etc. Os que são bem-sucedidos buscam o bom resultado com determinação e empenho — propriedades pouco comuns aos egoístas, presentes quase exclusivamente entre os bem-sucedidos —, e costumam obter resultados melhores que os generosos, pois podem exercer sua ambição de forma mais direta.

Penso que, do ponto de vista social, a tendência é que os egoístas se saiam melhor que os generosos: apropriam-se das idéias deles e as usam em benefício próprio. Podem "roubar" idéias, podem "roubar" na competição por cargos no ambiente de trabalho, podem "roubar" dinheiro valendo-se dos benefícios de determinada posição profissional. Podem tudo isso e muito mais, justamente porque não sentem culpa. São vencedores em qualquer tipo de disputa frontal — o mesmo acontece na vida familiar. Os generosos que tiverem a mesma dose de ambição perderão na disputa por causa das limitações derivadas da dificuldade de prejudicar o outro mesmo quando este está agindo de forma desleal. Não conseguem contrapor deslealdade à deslealdade do outro, por isso são perdedores mesmo quando são mais capazes. Perdem e colecionam mágoa e raiva dentro de si, o que vai gerar, em determinado momento, algum tipo de retaliação.

O generoso lançará mão de suas armas: a criatividade e uma formação intelectual mais sutil e sofisticada; isso com o intuito de também se exibir e se destacar aos olhos dos egoístas. Provocará a inveja dos interlocutores, ainda que não saiba que é isso exatamente o que está fazendo. Na área do saber, sentir-se-á superior! Os egoístas, atiçados pela inveja, tratarão de exibir suas glórias e conquistas materiais, que serão tratadas com desdém e superioridade pelo generoso, como se não valorizasse adornos e objetos caros. Os egoístas são materialistas, ao passo que os generosos são mais voltados para o mundo intelectual. É claro que estou fazendo uma grande simplificação e que essa separação é apenas esquemática, sendo fato que é muito grande o número de pessoas que gosta de se destacar por ambos os caminhos e provocar a inveja universal[15].

15

Já escrevi que sempre achei muito difícil entender como se dão os processos essenciais da vida em sociedade. Não sei se foi sempre assim, mas penso que os últimos 150 anos foram marcados por importantes descobertas no plano das ciências, e que se transformaram em avanços tecnológicos que passaram a interferir dramaticamente em nosso hábitat. Sabemos que a maior parte de nossa vida íntima é constituída por crenças e que elas têm um caráter conservador, nos impõem uma tendência à repetição dos padrões que nos ensinaram. Os artistas e cientistas costumam ser criaturas mais competentes para lidar com as dúvidas, de modo que de sua mente "pulam" idéias novas que podem se transformar em conceitos e doutrinas geradores de novidades tecnológicas. Assim, de repente se inventa a máquina a vapor, os navios e os trens, capazes de andar a uma velocidade maior que a dos cavalos (velocidade e potência padrão que usamos até hoje ao nos referirmos a carros).

A mudança da velocidade de locomoção determina facilidades de comunicação entre sociedades antes muito mais isoladas. Surge a energia elétrica e as noites passam a ter outro significado. Depois, alguém inventa a fotografia, o cinema e a televisão, só para citar alguns exemplos que tanto influenciaram nosso dia-a-dia. Isso sem falar do computador e de tantas outras conquistas que rapidamente se multiplicam aos milhões (e bilhões) graças ao interesse econômico que essas inovações despertam em espíritos empreendedores, completamente diferentes daqueles que foram os geradores das idéias originais — sempre a alternância entre as duas formas de elite.

Surgem avanços na biologia, o que repercute na medicina, no tempo de vida das populações, em novas questões relativas às atividades das pessoas mais idosas, que antes eram uma raridade e que agora vão se tornando a regra. Surge a pílula anticoncepcional e com ela caem por terra crenças milenares relacionadas com a importância da virgindade feminina antes do casamento. Começam a ruir inclusive as paredes da própria família, agora cada vez menos necessária, uma vez que a pílula libera a mulher para o trabalho fora de casa — o que acontece também porque as máquinas passam a fazer a maior parte da atividade que demanda força. Ou seja, não há mais como sustentar as crenças acerca de coisa alguma. O período que temos vivido, que todos conhecem e do qual os fatos que citei são apenas alguns dos exemplos mais marcantes, corresponde à ruína inevitável das crenças, o que vem acompanhado de fortes sensações de desamparo, insegurança e depressão — para esta última, a ciência tem se apressado em encontrar novos remédios, que, evidentemente, figuram entre os mais vendidos.

Ou seja, alguns espíritos inquietos inventam novidades e outros as transformam em bens de consumo por meio dos quais fazem fortuna e ganham poder. Os novos bens interferem na forma de ser e de viver das pessoas em geral, obrigando-as a romper com suas crenças. Tudo isso acontece como que por acaso, sem controle. Não creio que haja pessoas influentes que tenham previsto os desdobramentos das descobertas mais recentes. Todo mundo se queixa do individualismo crescente em nossa vida social. Porém, como poderia ser diferente se inventamos a TV, o computador e o *walkman*, entre outros equipamentos capazes de nos entreter individualmente? Famílias se queixam da vida sexual precoce de suas filhas, mas como poderia ser diferente se existem os recursos anticoncepcionais — e também se a TV e o cinema fazem o permanente elogio das delícias do sexo?

Minha sensação é de que se perdeu totalmente o controle sobre os processos humanos da vida em sociedade, se é que um dia o tivemos. Não sei se sempre vivemos à deriva e as doutrinas e explicações sempre vieram *a posteriori* — como penso ser o caso hoje —, ou se se trata de acontecimento recente. Será que quando as mudanças se davam de forma mais lenta e gradual havia mais tempo para antecipar os desdobramentos de cada nova aquisição? Será que o advento do livro impresso e dos jornais provocou um impacto similar ao que aconteceu com a TV? Não tenho qualificação nem mesmo para tentar responder a essas questões. O que me parece claro é que o que mais interfere em nossas crenças e nos obriga a mudanças mesmo contra nossa tendência à acomodação é o surgimento de novas idéias no campo da ciência e a transformação delas em novos engenhos capazes de alterar substancialmente nosso hábitat, ao qual somos forçados a nos adaptar.

A adaptação, inexorável, que temos de fazer ao novo meio físico em que nos inserimos provavelmente desencadeia uma série de mudanças internas que vão se processando de forma imperceptível. O crescente individualismo do qual tantos se queixam está se processando dentro de cada um de nós. Hoje se fala em busca amorosa por afinidade e parece que todos já esqueceram da época, recentíssima, em que se pensava da forma diametralmente oposta. Esses são apenas alguns exemplos de alterações íntimas que derivam de alterações no meio externo determinadas pelo progresso da ciência dos homens. Não é impossível que, ainda que por acaso, avanços interessantes e importantes venham a acontecer graças a esses processos, os quais escapam de todos os controles.

21 vinte e um

O povo participa pouco de toda essa trama. Nesse grupo majoritário também existem os egoístas e os generosos. Penso que mostram mais suas diferenças na forma de ser no plano da vida privada, na qual os egoístas, como os sádicos, batem nos generosos, masoquistas, que sentem prazer em suportar dores que fazem que se sintam mais fortes e tolerantes. No plano social, talvez os generosos sejam crentes religiosos mais fervorosos e mais leais, seguidores dos mandamentos de seus credos. Os egoístas serão sempre mais hipócritas, de modo que as deslealdades e os pequenos delitos farão parte do seu cotidiano. Quando pegos, serão punidos pela justiça dominada pelas elites — e que a elas raramente se aplica.

Nunca é muito fácil mostrar a uma pessoa generosa que por trás de suas atitudes existem fraquezas. Porém, é sempre mais fácil fazê-lo quando descrevemos suas condutas na vida privada do que do ponto de vista da ação pública. O generoso percebe que, muitas vezes, no convívio íntimo, tenderá a ceder quando acuado. Agora, no que concerne à atividade pública, tanto no que diz respeito à sua ação política direta como em qualquer outra ação social em que se aplica com dedicação e renúncia, ele resistirá muito em aceitar que existe um importante ingrediente de interesse pessoal. O generoso considera-se impelido e movido por suas convicções e ideais e não consegue — e não quer — enxergar nada além disso.

Consideram-se gente boa, em tudo diferente dos egoístas, os maus. Pessoas com ideais políticos voltados para a tentativa de construção de um mundo igualitário muitas vezes são incapazes até mesmo de perceber que vivem em total desacordo com suas convicções. É curioso que, quando não podem mais se furtar às evidências da existência de uma contradição assim radical e importante, argumentam de forma vaga, como se o mais importante fosse o discurso que pronunciam, e não a casa onde moram. Dizem que o sacrifício individual seria vão e que não conduziria a nada de relevante do ponto de vista social, no qual o fundamental seria a prática política. A verdade é que ninguém é obrigado a viver em um palácio, e aqueles que defendem um estilo de vida mais simples — e que seria acessível à maior parte da população — poderiam viver da forma como pregam desde já. O exemplo vale mais que as palavras.

A verdade é que a diferença no estilo de vida entre as elites dos egoístas e a dos generosos é muito menor que a que poderíamos esperar em decorrência do que dizem. As diferenças retóricas costumam definir a formação de dois grandes blocos políticos: um defende explicitamente as desigualdades sociais, sempre atribuídas a diferenças no potencial dos humanos e definida em função das leis da natureza que governam toda

a vida animal do planeta; o outro grupo acha que temos razão e discernimento, e que esses ingredientes, derivados da nossa mente sofisticada e única, podem ser usados na constituição de uma sociedade humana diferenciada, construída e alicerçada de acordo com valores que temos competência para criar — de modo que não temos necessidade de copiar a lei da selva original.

Não tenho problemas em me posicionar ao lado deste último grupo, o dos que pensam que nossa espécie, mesmo tendo semelhanças com certos mamíferos, dispõe de um cérebro privilegiado, capaz de alterar por completo nosso destino biológico. Porém não posso deixar de observar os fatos, especialmente aqueles acontecimentos que tenho acompanhado ao longo da vida, relacionados com a chegada ao poder político dos que defendem as belas idéias. Essas pessoas sofrem metamorfoses rápidas, de modo que o resultado final é decepcionante. Parece que a chegada ao poder modifica completamente a conduta das pessoas. Sendo fato que as elites, na prática, sempre viveram de forma parecida, tudo nos faz crer que essas semelhanças se agravam com a proximidade do poder. Apenas esses dados já deveriam ser suficientes para que os generosos colocassem mais em dúvida suas convicções e ideais; deveriam ser mais rigorosos no sentido de saber em que medida sua forma de ser é sólida e difere efetivamente daqueles que tanto criticam.

Não estou desprezando os fatos concretos e as condições objetivas próprios dos processos sociais maiores, nem subestimo as pressões que os governantes bem-intencionados sofrem para agir de forma muito diferente de suas convicções. Não me vejo em condições de aprofundar minhas reflexões a respeito desse tema essencial. Apenas gostaria de ressaltar, mais uma vez, o aspecto que deriva das observações psicológicas: na prática, os generosos agem, no que diz respeito à vida pública, de forma mais parecida com a dos egoístas do que pensam. No poder, as semelhanças crescem ainda mais. Tudo me leva a crer que, tanto no plano da vida privada como no da gestão da coisa pública, há algo de muito equivocado nessa polarização entre o bem e o mal. Pouco poderemos esperar, pensando em mudanças concretas em ambas as áreas essenciais da vida, enquanto não formos capazes de desatar esse nó e encontrarmos soluções mais consistentes para os dilemas da moral.

22 vinte e dois

Afinal, o que podemos esperar dos próximos tempos? Podemos ter alguma esperança de que a "aliança" entre o bem e o mal venha a se romper? Qual seria o caminho que levaria a isso? Lamento ter de escrever que minhas observações não me permitem cultivar nem mesmo uma pequena dose de otimismo — afirmo que o otimismo é bem mais confortável para mim, uma vez que está em ressonância com o meu modo íntimo de ser. Acontece que, ao longo de quase quarenta anos de trabalho sistemático e intensivo como psicoterapeuta, foram pouquíssimas as vezes em que pude acompanhar alterações significativas na conduta moral de pacientes. Os poucos que mudaram foram os que se afastaram do egoísmo original e conseguiram evoluir na direção da generosidade. Ou seja, mudaram de lado. Não foram capazes de ir além disso, de completar o ciclo de maturação emocional que havia sido interrompido e desembocar no modo de ser, também incompletamente amadurecido, dos que desenvolveram o freio moral interno. Admiravam os generosos e se empenharam para conseguir ser um deles.

Do ponto de vista educacional, tampouco tenho observado qualquer tipo de alteração: crianças e adolescentes continuam expostos ao duplo padrão moral, tanto em casa como no ambiente escolar, de modo que, quando crescem, se tornam de um tipo ou de outro. Os modelos com os quais se identificam não se alteraram, e isso leva à perpetuação do padrão existente. Os padrões se alteram com muita dificuldade, tanto na biologia — na qual é necessária alguma forma de interferência na genética por meio de mutações — quanto nos aspectos relacionados com a cultura — na qual as crenças tendem a se perpetuar a menos que algo de muito extraordinário aconteça. O que as crianças encontram em todos os lugares que freqüentam são pessoas egoístas ou generosas, pessoas más ou boas. Assim, é inevitável que também venham a fazer parte de um dos dois "grupos".

Se os adultos se modificam — em todos os aspectos, mas principalmente no que diz respeito ao comportamento moral — com tanta dificuldade e as crianças raramente criam comportamentos, uma vez que, via de regra, imitam o que observam, não há como ser muito otimista. A única saída consistente, do ponto de vista de um grupo social como um todo, não apenas no plano individual, residiria na mudança de atitude dos generosos, o que hoje pode estar um tanto facilitado graças aos avanços tecnológicos que têm estimulado o individualismo — que, nesse aspecto, é bem-vindo. Os egoístas, como escrevi há pouco, quando evoluem, o fazem para tornarem-se generosos, atitude que lhes faltou durante os anos de formação; ao serem capazes dessa metamorfose, tornam-se presas fáceis dos que ainda permanecem egoístas — e que são quase todos —, já que, tanto pela culpa como pelo gosto recém-adquirido de conseguir suportar renúncias, passam a agir como generosos até mesmo um tanto "radicais". E não precisavam fazê-lo, pois, afinal, como "ex-egoístas", conhecem muito bem os ardis daqueles que os estão pressionando.

Os generosos "tradicionais" e os radicais "recém-convertidos" não resistem às pressões dos egoístas e se sentem incomodados com isso. Porém, parece que a sensação de superioridade que deriva da capacidade de renunciar transformou-se em um prazer muito maior[16]. Sabem que estão sendo explorados e mesmo assim se sentem mais fortes, com energia e disponibilidade de sobra. Pode ser que, por vezes, se sintam tolos, mas na maior parte do tempo se sentem ricos, mais fortes e poderosos. A posição é de certa humilhação e de grande alimento da vaidade, sendo fato que a humilhação parece ser necessária e conveniente para realimentar todo o processo.

16

O prazer da renúncia é algo similar ao que ocorre, no âmbito da intimidade erótica, com o prazer que existe na submissão e subserviência própria do masoquismo. Não é à toa que E. Fromm (*A arte de amar*) chamava a relação entre opostos de sadomasoquista, na qual o sádico é o egoísta, e o masoquista, o generoso. Há um curioso prazer erótico relacionado com o servir e o subjugar-se, como se essa posição implicasse uma forma sutil de dominação e de poder. Penso que, mais uma vez, estamos diante da intromissão direta da vaidade, ou seja, a posição de inferioridade pode ser vivenciada como poder, portanto, como superioridade. Segundo penso, o fato de existir prazer no processo de renúncia não implica virtude moral, mas o fato de a vaidade ter aí se acoplado, determinando uma sensação positiva em um processo que talvez devesse ter, mais que tudo, o caráter de humilhação, ou seja, de ofensa à própria vaidade.

> Não deixa de ser curioso e sutil o processo psíquico dessas pessoas. Isso não significa, ao menos do meu ponto de vista, que tal complexidade gere mecanismos que escapam à consciência. Não penso neles como algo que nos chega pronto, imposto pela via do inconsciente. Um dos objetivos maiores que tenho com este livro é justamente o de tentar traçar as rotas que temos construído, de modo deliberado ou não, para encontrarmos meios de nos posicionar melhor perante as outras pessoas. As rotas são as melhores que conseguimos construir; constituem o que pudemos fazer diante dos dados subjetivos e objetivos de que dispomos e da magnitude da nossa competência emocional. Pode ser que, em muitos casos, gostaríamos de estar agindo de forma diferente. Isso não implica estarmos submetidos a pressões inconscientes, mas aos limites que nos dominam e que nos impedem de superar determinados obstáculos.

Deveríamos nos ater mais a esses processos, nos quais experimentamos sentimentos antagônicos derivados da mesma ação, como é o caso da humilhação e do incensar da vaidade ao mesmo tempo. Passamos a viver um dilema um tanto complexo, pois estamos agindo de acordo com os valores tidos como superiores pela nossa cultura, motivo de orgulho e geradores da sensação de sermos virtuosos e fortes. Ao mesmo tempo, existe uma voz interior que nos diz que estamos sendo explorados indevidamente, que estamos abrindo mão de nosso dinheiro, tempo ou energia em favor de alguém que talvez não mereça isso. Se pensarmos mais atentamente, talvez consigamos encontrar uma saída para esse processo, que, além de tudo, se auto-abastece e tende a se perpetuar, uma vez que cada ofensa à vaidade pede novos elogios a ela.

E qual seria a saída para o dilema? Seria que o indivíduo tentasse ser menos generoso. Vejamos o que acontece se ele for capaz disso e de tolerar uma certa dose de culpa que derivará de não estar fazendo todas as concessões que lhe foram pedidas, apesar de que, ainda assim, estará fazendo algumas. A verdade é: sua vaidade ficará um tanto ferida, pois, ainda por cima, é muito provável que ele seja chamado de "egoísta" pelos que estejam sendo frustrados em suas pretensões. O generoso se sente profundamente ofendido quando é chamado de egoísta — apesar da inveja que, por vezes, sente deles. A vaidade fica ferida porque o grau de renúncia é menor, e ele se acostumou a ser o bom e a ser visto como tal. A frustração relativa derivada de estar sendo explorado continua, uma vez que não foi capaz de dizer um não definitivo e radical. O resultado final não é positivo, pois o generoso sai com a vaidade ferida, com dúvidas acerca do seu direito de ser assim radicalmente duro com os outros, e ainda um tanto incomodado com as concessões que continua a fazer. Fica com o aspecto negativo de sua condição e abre mão do positivo. Convence-se de que a saída não é por aí, a da renúncia relativa da generosidade.

Se a saída não é para menos, então talvez seja para mais. Nesse caso ele pode se tornar cada vez mais generoso. A sensação de humilhação derivada de estar se sentindo abusado aumentará; crescerá também o prazer erótico derivado da vaidade e a sensação de superioridade por se sentir ainda mais forte e rico. Esses movimentos renovam o interesse dos egoístas por ele, que, com os benefícios, desenvolvem uma inveja ainda maior e mais explícita. A mudança não dá resultados maravilhosos, mas talvez a resultante seja favorável, porque a vaidade e a vingança, provocando a inveja, crescem mais que a humilhação, sempre presente. Provocar a inveja, como sabemos, é uma forma sutil e um tanto covarde de revidar ofensas, muito ao gosto daqueles que não conseguem agir de forma direta por causa da culpa.

A radicalização do modo de ser do generoso implica a radicalização do egoísmo, o que nos dá ainda mais a sensação de estarmos num beco sem saída, justificando a postura nada otimista a respeito do nosso futuro. Os generosos, os únicos que poderiam dar início ao processo de ruptura dessa dualidade e dessa luta de esgrima sem fim na qual foi transformada nossa existência, encontram-se cada vez mais atolados em sua

forma de ser, cada vez mais escravos da vaidade, achando-se poderosos e do bem graças ao fato de estarem de acordo com as crenças sociais e religiosas. A sensação de humilhação é, muitas vezes, compensada pela fé religiosa, que lhes garante o reino dos céus.

Mesmo quando temos claras a dimensão e a complexidade de um problema humano, penso que não é conveniente, nem adequado à nossa realidade, considerá-lo insolúvel. Já me senti assim algumas vezes, quando tratei de questões relacionadas com a sexualidade: as diferenças sexuais entre homens e mulheres pareciam determinar um jogo de poder entre eles que nos condenava irremediavelmente a uma permanente guerra entre os sexos. A verdade é que os fatos recentes vêm mostrando forte tendência a uma mudança de padrões, alterando até mesmo aqueles que têm base biológica. Assim, nem mesmo os limites da nossa biologia devem ser tratados como algo intransponível. Na questão moral, estamos diante de crenças humanas, talvez tão difíceis de serem alteradas quanto nossos instintos. Porém, é nosso dever não desanimar e sair em busca das soluções possíveis, ainda que sejam trabalhosas e demorem muito a se concretizar.

Penso que o nosso dilema terá de ser equacionado e ter seu processo de resolução focado em alterações possíveis na vida íntima das pessoas que estiverem conscientes da necessidade de mudança. Penso também que, quando determinado número de indivíduos for competente para viver de maneira nova — desde

que seja um modo melhor, mais consistente e gratificante —, esse dilema passará a interferir no social, e aí poderá surgir uma onda geradora de mudanças nessa área mais ampla. Não creio, do fundo das minhas convicções, no caminho inverso: alterações sociais, estabelecidas por alterações racionais no discurso da minoria, jamais serão capazes de se consolidar e interferir na forma de ser dos indivíduos.

O processo terá de ser iniciado pelo generoso: ele é quem precisará renunciar, de forma radical, à sua condição — não há espaço, como vimos, para saídas intermediárias. O generoso terá de fazê-lo ainda que isso lhe traga, ao menos num primeiro momento, uma sensação de perda, de diminuição de valor e um grave abalo em sua vaidade — e eventualmente na sua auto-estima.

É muito importante lembrar que vaidade e auto-estima são processos psíquicos completamente diferentes[17]. A vaidade depende de observadores, dos "outros", que me olharão com admiração ou com desprezo. A auto-estima depende do julgamento que eu faço de mim mesmo. Trata-se de um processo intrapsíquico e, em essência, independe dos outros. Quando eu acho relevante ser uma pessoa generosa e dedicada, ainda que essa forma de ser não encontre correspondência nos interlocutores, me sentirei diminuído por não agir assim, e com uma idéia negativa de mim mesmo — isso mesmo quando as outras pessoas dão sinais de estarem me avaliando bem.

A auto-estima depende de determinações que eu estabeleço para mim mesmo — o que também difere da

17

O abalo que o generoso que se empenha em deixar de sê-lo sente em sua vaidade acontece em virtude das manifestações de desagrado daqueles que sempre tiraram partido do seu modo de ser. Assim, ele será visto e tratado como alguém que está piorando, como alguém que está se tornando um egoísta. Será tratado assim pelos próprios egoístas, que, por puro oportunismo, tentarão reforçar seu antigo e conveniente padrão de comportamento. Se o generoso não estiver profundamente convencido de que é exatamente isso que deve fazer, se titubear em suas próprias convicções, se sentirá abalado também em sua auto-estima. Sim, porque esta depende de ele agir de acordo com suas convicções, que não poderão ser perturbadas pela repercussão externa, a qual, é claro, será negativa da parte daqueles que perderão com a mudança.

Porém, se o generoso for capaz de vencer esse obstáculo inicial e prosseguir no sentido de vencer seus maiores obstáculos internos, tais como a culpa indevida e também determinados medos de abandono e de outras eventuais represálias, experimentará enorme sensação de bem-estar, até mesmo de alegria. A sensação de vitória é acompanhada daquela que poderíamos chamar de orgulho íntimo por ter sido capaz de ultrapassar um dramático obstáculo interno, por ter sido capaz de avançar na direção daquilo que deseja atingir como ser humano. Aí, sim, o juízo acerca de si mesmo cresce — e é isso que devemos chamar de auto-estima. O bem-estar e a satisfação íntima podem ser enormes mesmo quando estamos sendo criticados e malvistos pelos que nos cercam. É um importante momento que talvez nos ajude a perceber de modo categórico quanto a auto-estima não tem nada que ver com a vaidade, e pode mesmo, em muitas situações, estar em oposição a ela.

Assim, não creio que valha a pena, em condição alguma, abrirmos mão de nossas convicções íntimas com o intuito de agradar nossos pares. Isso não quer dizer que não possamos conceder. Podemos, sim, e em muitas situações devemos fazê-lo; abrimos concessões como parte de nossas convicções ou porque somos incapazes de dizer não. Penso que se trata de duas situações completamente diferentes: a primeira não fere nossa auto-estima, pois estamos agindo de acordo com ela; na segunda, estamos sendo coagidos, agindo por sermos incapazes de resistir a uma pressão externa, o que é fraqueza e, por isso mesmo, não pode deixar de ser nociva à auto-estima. É preciso muito cuidado, pois a auto-estima é nosso bem maior. Não deveria ser trocada nem mesmo pelos mais belos e significativos sentimentos e emoções. Nem mesmo por amor, ou melhor, nem mesmo por medo de perder o amor de alguém que nos seja muito importante; aliás, como podemos permitir que seja importante para nós alguém que nos peça qualquer tipo de aviltamento pessoal?

obediência a ordens impostas de fora, próprias, por exemplo, da disciplina militar — e que devem ser cumpridas sob pena de rebaixamento da avaliação que eu faço a meu respeito. Dependerá, pois, das minhas idéias e convicções. Algumas vezes se manifesta na mesma direção da vaidade, isso quando minhas idéias estiverem afinadas com os propósitos, que também me norteiam, de despertar a admiração dos outros. Por exemplo, se eu de fato acreditar que o meu valor como ser humano depende da minha aparência física e de quanto eu for capaz de atrair o interesse dos outros por mim, especialmente no campo amoroso, minha auto-estima dependerá dos mesmos resultados que incensarão minha vaidade.

Embora possa haver várias coincidências de propósitos, penso que é essencial perceber que se trata de processos distintos. **Minha auto-estima depende da forma como penso e minha vaidade depende mesmo é de como pensam os outros. Infelizmente, a maioria de nós pensa de forma muito pouco criativa e totalmente dependente do modo de ser e de pensar dos que estão ao nosso redor, sendo que muitas das convicções dos outros — e também as nossas — são herdadas sem reflexão das gerações anteriores. Assim, para a maioria das pessoas, auto-estima e vaidade parecem se confundir** a ponto de elas acharem que, submetendo-se a uma cirurgia estética, estarão melhorando sua auto-estima.

24 vinte e quatro

Em nossa sociedade, ser generoso é ser portador de uma virtude mesmo que ela não seja cultivada por boa parte dos que nos lideram. A generosidade é pregada como valor tanto pelas religiões dominantes no Ocidente como pelo discurso pedagógico oficial. Convence boa parte das crianças e jovens que se apegam a esse modelo pelas razões psicológicas exaustivamente descritas, o que se reforça depois, também, por um aumento da auto-estima em decorrência de serem membros do grupo dos mais fortes. **Estão convictos e têm a certeza íntima de que a generosidade é mesmo uma virtude, de modo que qualquer transgressão provocaria imediata repercussão negativa na auto-estima — sensação de rebaixamento mesmo na ausência de observadores. Como a generosidade determina a admiração de muitas pessoas, ela receberá também o reforço da vaidade. No caso, a aliança da auto-estima e da vaidade contribui decisivamente para a perpetuação desse padrão de conduta.**

Para que a vaidade fosse capaz de contribuir significativamente para a mudança que estou propondo, ou seja, para a renúncia radical da generosidade e o fim da dualidade milenar, seria necessário que os valores sociais se alterassem antes dos individuais, e, de fora, que

fôssemos influenciados e induzidos a rever nossos pontos de vista. Entraríamos em processo de mudança para nos adequarmos aos novos valores, a fim de mantermos uma posição de admiração perante nossos pares. As mudanças que nos atingem de fora para dentro estão sempre, inexoravelmente, relacionadas com o impacto que terão sobre nossa vaidade. Mudamos o modo como nos vestimos e poderemos também alterar o modo como pensamos em decorrência de uma nova "moda", que nos seduza e nos leve a não querer destoar do grupo ao qual pertencemos.

Como nunca acreditei muito nessa possibilidade, duvido da hipótese de que as mudanças sociais — e socioeconômicas — vão (e deverão) anteceder as de natureza individual. Não subestimo o poder e a autonomia das normas sociais sobre as leis da psicologia. Porém, as mudanças sociais dependeriam da chegada ao poder de uma elite sofisticada e sutil — e principalmente que se mantivesse assim —, e disso eu sempre duvidei! Sempre pensei que, entre o general truculento e grosseiro e o comandante doce e respeitoso, na hora H o poder ficaria na mão do primeiro. Sempre pensei que o poder político estaria mais facilmente na mão dos egoístas. E, mesmo que acontecesse o contrário, minha experiência diz que o poder corresponde a uma rara condição na qual muitos generosos alteram dramaticamente sua maneira de ser e se tornam egoístas.

25 vinte e cinco

Dessa forma, resta-nos a alternativa oposta e que me parece mais atraente, pois pode ser posta em prática imediatamente por aqueles que assim o desejarem: deveríamos tratar de nos modificar de dentro para fora, aproveitando esse momento peculiar que estamos vivendo, no qual nossas crenças andam bastante abaladas em virtude de tantas e tão dramáticas alterações do nosso hábitat. O primeiro passo consistiria em nos convencermos intelectualmente de que a dualidade egoísmo–generosidade corresponde a um pacto destrutivo e que não nos leva a parte alguma. Temos de estar efetivamente convencidos de que se trata de um grande equívoco milenar, a nós transferido pelas crenças sociais e que está aí para ser ultrapassado e abandonado, sem lamento ou saudade. Talvez as cansativas repetições que fiz ao longo do texto tenham essa finalidade: contribuir para o convencimento definitivo das pessoas, tentando cercar o tema por suas inúmeras facetas, a fim de que as dúvidas fossem se dissipando ao longo da leitura. Precisamos, pois, ser capazes de desqualificar as crenças que têm norteado nossa reflexão moral, o que sempre é complicado, porque parece pretensão querermos mexer com normas tão arraigadas. Temos de ser capazes de compreender suas conseqüências nefastas para a prática da vida cotidiana em seus aspectos essenciais: a das relações afetivas íntimas e as de natureza profissional.

O segundo passo consistiria em sermos capazes de vislumbrar uma nova forma de pensar e agir, uma nova concepção de vida moral que ocupará o lugar da que pretendemos desconsiderar. É sempre bom reafirmar que a busca deve ser mais séria e consistente do que o encontro de um novo discurso intelectual. Temos de buscar normas que regerão um novo modo de sermos e de nos relacionarmos. Precisamos nos imaginar vivendo de outra forma e gostar do que imaginamos, para que tenhamos força de nos encaminhar com determinação nessa direção. Escrevo dessa forma por duas razões. Primeiro porque não acredito muito naquelas belas idéias que tardam em se tornar fatos — parecem frutos que apodrecem antes de serem comidos. Segundo porque determinação e firmeza são necessárias porque certamente teremos de vivenciar turbulências e dificuldades de todo o tipo ao longo do percurso. **Ainda que a saída, no plano das reflexões intelectuais, pareça simples — elementar mesmo —, a prática é bem mais trabalhosa, pois implica uma ruptura radical com a nossa história individual e social.**

Se caminhar num sentido novo e mais adequado fosse tarefa fácil, muitos de nós já estaríamos lá. Nem sempre o que é simples é o mais fácil. Essa forma singela de pensar a questão moral corresponde a atribuirmos aos outros os mesmos direitos que atribuímos a

nós; mas também atribuímos a nós direitos iguais aos dos outros! Trata-se de um posicionamento pragmático, no qual os valores são relativos e dependentes do modo de pensar de cada pessoa, desde que respeite plenamente a regra da reciprocidade[18]. A virtude seria privilégio das pessoas justas, daquelas que não são nem egoístas nem generosas. A única e importantíssima afirmação que fiz foi a de que o generoso, aquele que percebe muito bem os direitos dos outros, não poderá deixar de atribuir a si mesmo direitos iguais. **Não é válido o desequilíbrio da balança para nenhum dos lados, nem mesmo na direção do prejuízo pessoal.**

18 Apesar do pouco conhecimento que tenho a respeito do pensamento dos filósofos pragmáticos norte-americanos, simpatizo muito com o que pude conhecer dos pontos de vista de R. Rorty acerca da relevância de substituir a esperança pelo conhecimento, de aceitar a importância capital da ação e de que vivemos em um mundo em constante transformação, onde é "prioridade a necessidade de criar novas formas de sermos humanos, bem como um novo paraíso e uma nova Terra para serem habitados por esses novos humanos" ("Ethics without principles", in *Philosophy and social hope*, 1994; tradução livre do autor). Encanta-me a idéia de que cada geração e cada época tenham de rever seus valores, e que os fatos devam falar mais alto. Ao mesmo tempo, parece-me essencial que se faça isso sem cinismo e sem que isso signifique a renúncia a uma forma de pensar solidária a respeito das relações sociais que venhamos a defender.

Isso é muito fácil do ponto de vista intelectual e muito difícil de ser executado na vida prática. A pessoa precisa querer muito renunciar ao seu modo de ser e agir por reconhecê-lo como inadequado e ineficaz. Depois, precisa estar absolutamente convencida de que deseja seguir no caminho da justiça e se determinar a isso, apesar dos obstáculos internos e externos que certamente encontrará. Em seguida, terá de se pôr a caminho, rumo à prática. E como conseguir tamanha mudança? Parece simples, especialmente para o generoso, que obterá benefícios com essa mudança, uma vez que sobrará mais para si mesmo. Porém, como não suporta bem isso, e como está inteiramente comprometido em sua vaidade e auto-estima com a idéia da renúncia, as primeiras sensações serão negativas, de rebaixamento.

Essa sensação de diminuição do próprio valor é fortíssima e pode ser sentida como um obstáculo quase intransponível. Isso acontece principalmente porque o generoso vive num contexto que opera na direção de reforçar sua conduta habitual. Sim, porque as pessoas ao redor farão observações críticas, depreciativas, como se ele estivesse agindo de modo irreconhecível. Para alguém que está dando os primeiros passos nessa estrada nova, observações negativas podem ser suficientes para atravancar o processo evolutivo que a pessoa tão seriamente havia se proposto. **A verdade é que estamos nos encaminhando para a superação do segundo grande obstáculo — o da culpa indevida —, processo ainda mais difícil que a superação do primeiro grande obstáculo — o da tolerância a frustrações.**

É nesse ponto, em que o processo já se iniciou e os indivíduos estão visceralmente ansiando por mudanças drásticas, que o generoso costuma receber a ajuda de um fenômeno inesperado e surpreendente: o encantamento amoroso! Aí, o que acontecerá é que ele se apaixonará por alguém muito parecido com ele. É claro que a essa altura do processo não faria o menor sentido se encantar por uma pessoa egoísta, fato que provavelmente já ocorreu no passado graças à insatisfação consigo mesmo. Pode ser que ainda não esteja totalmente satisfeito consigo mesmo, mas com certeza não admira mais os egoístas, de quem deseja se livrar de uma vez.

O encantamento amoroso manifesta-se de forma bastante intensa e vem acompanhado de muito medo, ingrediente curioso e inesperado[19]. Essa mistura de fascínio absoluto pelo amado, uma sensação de plenitude derivada de sua presença e mais o medo intenso, por vezes difuso e vago, corresponde ao que chamamos de paixão. Costuma ocorrer em situações objetivas complexas, nas quais, por exemplo, as pessoas são casadas — e com parceiros obviamente egoístas ou bem mais fracos em outros aspectos, como o da inteligência ou beleza.

19

O amor é talvez a emoção à qual mais me dediquei. Desde cedo percebi que a paixão estava associada a um encaixe sentimental intenso e de boa qualidade, e a um forte medo. O medo, apesar de estar sempre presente, era visto por mim como um sentimento inesperado, ao menos do ponto de vista intelectual. Até hoje não é comum as pessoas pensarem que o amor intenso deva provocar medo. Afinal, trata-se de um dos maiores sonhos — se não o maior — de boa parte das pessoas.

O amor, até hoje, continua a ser parte mais do imaginário do indivíduo que do seu cotidiano. Mesmo na literatura e no cinema, quase sempre a separação é o que acontece no final. Isso nos obriga a aceitar a existência de um enorme elemento antagônico ao amor presente em nossa subjetividade — e que, por vezes, fica reforçado por efetivos obstáculos externos. Assim, já há algumas décadas, detectei a presença do medo do amor. Mais recentemente, tenho chamado de fator antiamor o conjunto de ingredientes que definem esse dramático obstáculo interno. Ele é constituído de pelo menos três, já citados em outra nota e que aqui registro novamente: o medo de futuros e maiores sofrimentos relacionados com eventuais perdas do objeto amado; o enorme medo que as pessoas sentem de se perderem no outro, de se diluírem e se tornarem dependentes e despersonalizadas diante do amado. O terceiro e mais importante ingrediente consiste no enorme medo que a felicidade nos provoca; ou seja, parece que ao nos sentirmos muito felizes, fazemos crescer as chances de que desastres de todo o tipo nos alcancem. Mesmo que isso não seja verdadeiro, é assim que sentimos e é em decorrência do que sentimos que reagimos. Tratamos de nos desvencilhar da situação geradora da felicidade, destruindo pessoalmente o que mais estamos valorizando. Nisso reside, segundo penso, o impulso autodestrutivo presente em doses variadas em todos nós. É preciso muita atenção e cautela para com o medo da felicidade e seus desdobramentos destrutivos. Não creio que exista solução para esse processo, que, no meu entender, está profunda e intimamente ligado à nossa existência. Como tudo que não tem solução, só nos resta a atenção máxima da razão, com o intuito de administrar de perto os processos e tratar de minimizar as tendências destrutivas. Acredito que o simples conhecimento da existência desses processos já poderá nos fornecer alguns meios para que consigamos nos defender deles. Quem sabe que o medo da felicidade existe talvez consiga não fugir do encontro com o parceiro sentimental adequado. Quem não fugir não se arrependerá, pois o medo da felicidade tende a diminuir com o passar do tempo.

Já escrevi tantas vezes sobre o amor que me parece um tanto surpreendente que ainda possa descobrir nesse sentimento algo de novo. Neste texto, o protagonista não é o amor, mas o sentimento de culpa, que poderá ter papel importante. Vejamos como se processam os acontecimentos emocionais no exemplo anterior, aquele que envolve amantes casados. Trata-se de fato bastante corriqueiro, o que justifica um pouco mais de atenção. Com a evolução do relacionamento ao longo das semanas, alguns problemas iniciais vão se solucionando — entre eles as dificuldades sexuais masculinas típicas da fase do encantamento. Diminuem também alguns dos medos iniciais, especialmente os relacionados com a perda da individualidade, de que venhamos a nos "diluir" no outro, a submergir em decorrência de seus encantos — medo que levou Ulisses, na *Odisséia* de Homero, a se fazer amarrar no mastro do navio ao navegar pelo mar das sereias. O casal começa a fazer os planos típicos dos que se amam. Ambos começam a pensar numa aventura vivida em comum, em como seriam felizes se pudessem estar juntos todo o tempo.

Aparece, nesse ponto da história e com total clareza, o dilema maior: cuidar de si, preservar o relacionamento amoroso tão intensamente ansiado, ou abrir mão dele em favor da esposa/do marido e dos filhos. Será que serão capazes de vencer o sentimento de culpa que efetivamente causarão em terceiros? Será que vão resistir às pressões e chantagens que sofrerão no caminho de constituírem um novo par? Qual o "peso" do amor e qual o dos deveres? O que vale mais: o amor ou a família?

O generoso está agora diante de um problema enorme, talvez o maior de todos, uma vez que se divide entre dois sentimentos da maior importância, ambos muito valorizados por ele e pela sociedade: o amor e a culpa. Além disso, pode ser que ache que está causando um dano indevido à sua família, mesmo levando em conta que seu cônjuge egoísta vem se tornando companhia intolerável, o que levou ao arrefecimento dos sentimentos. Mas e as crianças? O que é melhor para elas? Não gostaria de avaliar profundamente essas questões, já que, como eu disse, tudo pode e deve ser visto de forma relativa e cada um terá uma resposta às questões acima, resposta essa que dependerá de suas convicções pessoais — e não cabe afirmar que exista uma forma mais correta de responder a esses terríveis dilemas existenciais. O que está mesmo em questão aqui é saber se uma pessoa que se acha moralmente no direito de lutar por sua felicidade sentimental será ou não capaz de vencer o seu maior inimigo: a culpa.

Talvez seja interessante começarmos pelo fim: na grande maioria, os casais apaixonados que vivem nas condições que descrevi não terminam juntos. Ou seja, o amor não vence a batalha, apesar de ter sido um importante aliado na luta contra a culpa. Acontece que a culpa também recebe importantes reforços, além do que a questão dos filhos é muito relevante para a maioria das pessoas. Um desses reforços é a opinião pública, que até hoje se manifesta, via de regra, de modo conservador — especialmente os mais velhos, pais e parentes próximos, além de amigos do casal, por vezes um tanto assustados com a possibilidade de problemas similares em sua vida futura. O outro, ao qual já me referi, é o mecanismo que chamo de medo da felicidade: provoca um medo difuso que nos assola como um fantasma, prometendo uma tragédia iminente quando estamos vivendo uma alegria nunca antes experimentada. Como a felicidade ao lado da pessoa amada é de intensidade máxima, o medo é de igual magnitude, o que contribui para que tendamos a nos livrar exatamente do que nos faz tão bem. É paradoxal, mas é assim que somos.

Creio que a plena consciência da existência do medo da felicidade e de sua importância seja a pedra angular no processo de conseguirmos desfazer essa confusão. Isso, entre outras coisas, porque acredito que se trate do ingrediente mais relevante, maior que o peso da opinião pública e mesmo da culpa. Acho que o amor é, nesses casos, tão forte que a culpa, por si só, não seria suficiente para impedir sua consumação. Claro que aqueles que renunciam ao amor assim constituído perdem a oportunidade histórica de fazer uma revolução em sua vida.

Desse modo, penso que o potencial revolucionário do encantamento amoroso é algo, de fato, muito intenso, que faz jus à forma como já foi louvado em verso e prosa. O casal sentimentalmente feliz torna-se muito mais auto-suficiente, deixa de necessitar tanto da aprovação dos outros, dependendo essencialmente da avaliação que o amado faz de si. O casal feliz torna-se muito mais desprendido das ambições materiais, de maneira que o sonho romântico inclui até mesmo uma casinha discreta em algum canto retirado, longe das multidões e dos valores um tanto superficiais que definem os sonhos da maioria. O alimento fundamental torna-se de natureza espiritual, ambos vivendo a serenidade "quase uterina" derivada da presença do amado.

É uma pena que pressões internas e externas de todo o tipo acabem por inviabilizar o projeto romântico, que, se realizado por um número significativo de casais, poderia determinar importantes alterações nas nossas estruturas sociais. Minha experiência clínica, acompanhando centenas de casais apaixonados, me ensina que mais de 95% deles não conseguem terminar juntos, o que é uma lástima, tanto para eles quanto para os planos que tenhamos de avanços na questão moral no plano da vida íntima e social. **Entre as pressões internas, além das já mencionadas, gostaria de acrescentar mais um ingrediente: a dificuldade que temos de viver a vida de forma leve e algo desprovida de conflitos e desafios. É como se sonhássemos com a harmonia uterina, mas nos entediássemos rapidamente quando estamos vivendo de maneira um tanto semelhante a ela. Sonhamos com a paz, mas nos acostumamos tanto com a agitação que qualquer mudança implicaria uma grande adaptação e uma longa e penosa transição.** Por isso mesmo, muitas vezes, preferimos deixar tudo como está a enfrentar tantos obstáculos pouco conhecidos e geradores de novos sofrimentos. Voltarei ao tema daqui a pouco.

As pressões externas envolvem toda ordem de tentações que sobre nós exercem os bens materiais e o estilo de vida das outras pessoas. É muito difícil abrir mão dos sedutores e glamorosos convites ao prazer que as sociedades modernas, riquíssimas em novos bens de consumo, teimam em nos exibir. É difícil abrir mão das viagens, dos adornos, da sedução erótica e de tantas outras coisas em favor de uma vida quase monástica, voltada para o amor e para os prazeres intelectuais, ainda que compartilhados com um companheiro ideal. Tudo isso sem falar no ambiente de trabalho, onde não somos senhores do nosso destino e qualquer desatenção pode acarretar a perda dos meios de sobrevivência, aqueles básicos e essenciais para uma vida digna.

O que estou querendo dizer? Que, na prática, mesmo aqueles poucos casais que conseguiram a extraordinária proeza de vencer as poderosas forças resultantes da aliança entre a culpa, as pressões externas e o medo da felicidade acabam por sucumbir e voltam a viver de forma muito parecida com a que viviam antes. A generosidade nas relações mais íntimas forçosamente se desfaz, uma vez que, desse ponto de vista, a aliança entre duas pessoas iguais faz que ambas tenham de dar e também receber. As trocas nas relações íntimas definem um padrão de relacionamento fundamentado na justiça, no respeito mútuo e nos genuínos cuidados de um pelo outro. Trata-se de um relacionamento rico e confortante, mas que costuma se restringir à família, estendendo-se, é claro, aos filhos, que serão grandes beneficiários desse tipo de ambiente.

O processo emperra do ponto de vista das relações sociais e da perpetuação da postura revolucionária que o amor propõe em sua fase inicial. Os casais que vivem em harmonia acabam por ceder às pressões acima descritas e dificilmente conseguem ser diferentes dos outros casais no que diz respeito à vida social. Aderem ao materialismo consumista próprio da cultura, e o fazem de forma desnecessária, uma vez que isso pouco lhes acrescenta. Além do mais, talvez até mesmo em decorrência do sentimento de culpa, por serem mais felizes que a média em suas relações conjugais, tendem a reconstruir um padrão de conduta social mais do tipo generoso, estando sempre dispostos a ajudar os menos favorecidos, ainda que essa ajuda seja indevida e isso acarrete a inveja e o recomeço de todos os processos negativos que tenho descrito.

Atualmente tem sido assim, mas nada impede que consigam evoluir no futuro próximo, uma vez que o mais difícil já terá sido feito: essas pessoas vivem num clima de justiça dentro de casa e, aos poucos, poderão se sentir menos culpadas por terem sido capazes de construir tamanho privilégio, razão de novas culpas indevidas e de condutas generosas inadequadas. Ao conseguirem esse segundo avanço, ainda mais difícil — ao menos de se manter por longo tempo, já que não é raro na primeira fase da vida em comum dos que estão felizes no amor —, interromperão essa tendência para a generosidade em relação aos circundantes, pararão de repetir o padrão que foram capazes de abandonar na intimidade. Penso que, para isso, muito contribuirá o crescimento do número de pessoas bem-sucedidas no amor, quando os privilegiados se sentirão menos excepcionais e mais livres para viver o privilégio sem tanta culpa. Cabe, pois, a luta pelo estabelecimento de sólidas e consistentes relações afetivas, luta de grande potencial revolucionário e que tem sido o estímulo principal do meu trabalho dos últimos trinta anos.

O caminho da realização amorosa não é o único capaz de desequilibrar a balança interna a favor de um modo de ser justo — o que se consegue por meio da vitória da razão sobre o sentimento de culpa. Em geral, é muito difícil atingir a condição ansiada mesmo quando se está totalmente empenhado em caminhar na direção adequada. **No caso do encantamento amoroso, cria-se um dilema que pressiona na direção da defesa do direito pessoal sobre as pretensões do outro. Mas quando não existe um dilema desse tipo, o caminho talvez seja um tanto facilitado se formos capazes de avançar um pouco mais no entendimento da questão da vaidade, o que pode nos ajudar a superar os enormes obstáculos que temos pela frente — e que muitas vezes são insidiosamente reforçados por ela.** É óbvio que os obstáculos são de transposição difícil, pois se assim não fosse, muitos de nós já teriam sido capazes de ultrapassá-los — e estaríamos vivendo de forma justa e mergulhados num universo fundamentado na temperança.

Já afirmei que, nas sociedades atuais, embasadas no consumismo e no culto à aparência física, é preciso muita força interior para resistir às pressões que sofremos para aderirmos às tentações. É preciso estar consciente e atento para, possuindo os meios materiais, não se submeter ao desejo — quase inevitável — de comprar um carro novo belíssimo, uma bolsa da marca tal que "todo mundo que conta está usando", roupas em profusão, além dos produtos diretamente relacionados com o embelezamento da pele, dos cabelos etc. Isso sem falar dos recursos, cirúrgicos ou não, que tiram "aquele ar de cansaço" que os anos nos impõem.

Basta que estejamos vivendo um breve período, no qual a nossa auto-estima está um tanto depreciada — em decorrência de não estarmos tão contentes conosco e com nosso comportamento, o que acontece de tempos em tempos —, **para que caiamos na tentação de nos presentear com alguns desses sedutores objetos de consumo. Isso será suficiente para que nossa vaidade sinta-se de novo abastecida e incensada. Sentiremos aquela inquietação erótica peculiar, agradabilíssima e, infelizmente, de duração efêmera. O que acontecerá? Ansiaremos por repetições, por novas sensações similares, todas elas de pouca duração e que, por isso mesmo, exigem sempre novas repetições. Como viciados, vamos atrás das sensações de bem-estar que atenuam a momentânea baixa de auto-estima.**

Aí começa o mais grave: nossa auto-estima se ressente ainda mais por estarmos agindo dessa maneira, nos entregando aos prazeres efêmeros em relação aos quais temos muitas críticas, pois sabemos que são vazios e não levam a parte alguma. Sentimo-nos mal por estarmos agindo como "todo mundo", justamente nós, que temos sido capazes de construir — ou não terá sido por merecimento, mas por coincidências favoráveis? — um estilo de vida mais consistente e fundamentado em valores mais sólidos. O juízo que fazemos de nós mesmos entrará em declínio, o que determinará maior fragilidade e maior tendência ao consumismo, que abastece a vaidade e piora cada vez mais a auto-estima. Nesse caso, vaidade e auto-estima estão em franca oposição.

Pode ser que, por fora, estejamos ótimos, mas por dentro... O vício não só estará sendo reforçado como será cada vez mais difícil de ser debelado. Pessoas justas estarão, de repente, vivendo exatamente da mesma forma que todos os outros e não poderão mais ser distinguidas da maioria. Egoístas, generosos e justos — estes últimos sendo pouquíssimos na sociedade — se parecem. É claro que quando estamos diante dessa constatação, tais pessoas não podem mais ser chamadas de justas, uma vez que levam uma vida pública tão diferente da privada. **Muitos daqueles que foram agraciados com a força e a determinação necessárias para virar de cabeça para baixo sua vida pessoal, de uma hora para outra, graças a um momento de fraqueza, perdem todo o vigor e o potencial revolucionário presentes no encantamento amoroso. Regridem a posturas anteriores. Voltam a ser como "todo mundo". É a vitória da vaidade sobre nossos ideais.**

A vaidade é o nosso maior desafio, e temos de encontrar os meios adequados para não nos deixarmos escravizar por ela. Ainda que não consigamos nos livrar da vaidade, pois se trata de parte integrante do nosso instinto sexual, temos de encontrar um meio de subjugá-la à razão. É preciso muito cuidado, pois não são raros os momentos em que o processo se inverte e, sem percebermos, estamos vivendo de acordo com seus mandamentos. Precisamos nos acautelar para não nos deixarmos prejudicar irremediavelmente por ela.

vinte e nove

Ao menos como hipótese teórica, **a consciência clara e definitiva de que nosso objetivo é atingir o ponto de justiça — e que seria o indicador de que teríamos alcançado a completa evolução moral e também emocional — deveria nos conduzir, ao longo do tempo, nessa direção. Acredito nisso. Acredito também que um dos nossos grandes obstáculos provém do fato de que somos portadores de idéias equivocadas.** Ou seja, belas idéias falsas não poderão desembocar em outra meta que não naquela que nos fará chegar a novos enganos. Idéias falsas determinam trajetos errados e nos conduzem a resultados frustrantes. Isso tem levado as pessoas a achar que não basta que estejamos de posse das idéias adequadas. **Penso que é fato que não devemos subestimar as dificuldades para atingirmos nossas metas, mas que não atingi-las implica não estarmos de posse de idéias consistentes.** Não compartilho da visão de que as belas idéias são corretas por princípio, e que sua falta de concretização deriva de processos psíquicos sutis, muitas vezes inconscientes, e que deverão ser trabalhados à exaustão, a fim de que as tais idéias venham finalmente a reinar. Não sou adepto do reinado das idéias, mas dos fatos.

Se a idéia que defendo, de que a justiça é a efetiva evolução moral — e não a progressiva e crescente imersão no domínio da generosidade —, estiver certa, seu atingimento, por parte de um crescente número de pessoas assim conscientes, deverá acontecer. Trará resultados palpáveis e que se manifestarão claramente no plano intelectual, no qual a satisfação íntima e o aumento da auto-estima indicarão que se está efetivamente caminhando para uma evolução sólida.

Reafirmo o ponto de vista de que um dilema concreto, algo que nos pressione na direção da mudança desejada — como é o caso do encantamento amoroso em oposição a valores e compromissos previamente assumidos e que não mais satisfazem —, pode nos ajudar a sair da inércia e reagir mais rapidamente. Uma doença grave também pode nos despertar o direito a conquistas, tanto materiais como pessoais, conquistas essas antes tidas como fúteis ou desnecessárias. Sob o fantasma da morte ou diante de grandes sofrimentos, talvez tenhamos mais força interior para mudar, o que, idealmente, deveríamos fazer movidos apenas pelas nossas convicções e pelo bom senso. É um tanto triste pensar que só somos capazes de nos atribuir direitos caso estejamos conscientes de que a morte nos ronda! Poderíamos entrar em processo de mudança sem isso. É preciso, além do mais, que nos acautelemos para não retornarmos ao velho padrão de conduta logo que o perigo se tornar menos iminente.

O sentimento de culpa — sempre estimulado pelos mais egoístas —**, o medo de represálias diretas e indi-**

retas — inclusive o medo da felicidade — **e a vaidade** — que pede posturas radicais, raras e geradoras de destaque — **unem-se com o intuito de prejudicar a predisposição intelectual na direção do atingimento de uma postura moral equânime, justa. De um lado está a razão; de outro, todas as fortes emoções e sentimentos que moldaram nossas idéias geradoras de posturas tradicionais equivocadas.** A disputa se inicia quando a razão passa a agir de forma clara, veemente e consistente. Qualquer erro no posicionamento da razão será suficiente para a vitória dos sentimentos, o que implicará a perpetuação dos padrões conhecidos. **O papel revolucionário é representado pelas idéias sólidas. As emoções fazem o papel conservador!**

Isso justifica meu posicionamento, que já dura mais de trinta anos, a favor da razão. Nunca entendi o ser humano como um território de batalhas conscientes e inconscientes entre pulsões, forças diversas, figuras paternas introjetadas etc., no qual a razão faz o papel de espectador passivo. Não creio que, dentro de nós, as forças instintivas que regem a conduta dos outros mamíferos atuem com importância similar. Nós as temos, é claro. Mas também temos a razão, algo que nos distingue e diferencia radicalmente, que nos faz conscientes de nossa condição, que nos faz responsáveis, capazes de construir estruturas sociais que não sejam governadas apenas pelas leis da selva, capazes também de construir um sistema de valores e de nos guiar por eles mesmo quando estão em oposição aos impulsos instintivos e a outras forças emocionais que nos habitam.

Não subestimo as emoções. Tampouco subestimo a razão, nosso equipamento privilegiado e que, na maior parte do tempo, usamos mal – porque se contamina com emoções que nos induzem a gerar idéias equivocadas. Penso que os avanços obtidos por meio de reflexões cada vez mais acuradas, da avaliação de resultados de vivências nossas ou de pessoas que tenhamos a oportunidade de acompanhar – além de outros processos psíquicos que nem sempre sabemos exatamente como descrever e que se encontram no domínio do que chamamos intuição – podem gerar idéias cada vez mais substanciais, algumas delas capazes de provocar importantes avanços. Por vezes, simples e óbvias conclusões podem gerar progressos interessantíssimos. Talvez tardem um pouco a acontecer, exatamente porque encontram oposição nos sentimentos e também pela dificuldade que temos em romper com nossas crenças — pensamentos que parecem nossos mas que nos chegaram prontos, vindos das gerações que nos antecederam.

Penso que privilegiar a justiça sobre a generosidade corresponde precisamente a uma óbvia e simples conclusão no que diz respeito à reflexão moral. A ênfase abandona a busca do exagero, tão ao gosto da vaidade. Passamos a pressionar na direção oposta, que busca o comedimento. Essa nova postura, se aceita e praticada, implica "apenas" um novo ponto de equilíbrio do ponto de vista da moral. Só que tem conseqüências dramáticas e importantíssimas, pois, em vez do dualismo egoísmo–generosidade, passamos a defender a unicidade da justiça.

Afinal, o homem justo é bom ou mau? Não acho interessante pensarmos no justo como o bom e na justiça como o bem. Isso de alguma forma nos obrigaria a recriar o dualismo, ou seja, quem não for justo será mau e a injustiça será o mal. Acho melhor ficarmos assim: o mal é o egoísmo; o bem, a generosidade; e a justiça é a justiça. O bem e o mal são formas de injustiça!

Quais são as características do justo? Como ele é? Já sabemos que se trata de pessoa que efetivamente atribui a si e aos outros direitos e deveres iguais. Como existem pouquíssimas pessoas assim, é difícil descrevê-las de forma clara e fidedigna. É como se não tivéssemos uma foto do justo. Talvez consigamos ter um "retrato falado", uma idéia, uma suposição de como ele seja. **Penso que, da mesma forma que nas questões da moral, o justo tenderá a ser equilibrado em vários outros aspectos da vida; por exemplo, será trabalhador, mas também deixará bastante tempo livre para se dedicar aos prazeres pessoais — variados, uma vez que não existirá apenas um "modelo" de justo. Será tolerante com o modo peculiar de ser dos outros, mas, caso esteja num papel de liderança, será exigente — exigindo deles assim como exige de si, respeitadas, é claro, as diferenças individuais. Será delicado e gentil, mas não fará concessões indevidas com o intuito de ser amado. Aliás, imagino o justo como uma pessoa emocionalmente bem mais independente, e com toda a certeza mais capaz de ficar só do que egoístas e generosos.**

O avanço moral proposto trará consigo uma evolução correspondente no plano emocional. As alterações provavelmente serão grandes na vida amorosa, pois pessoas que podem ficar bem sozinhas tornam-se exigentes, e só estabelecerão relações baseadas em afinidades e também numa radical defesa dos direitos de cada individualidade[20]. Difícil mesmo é saber como será o homem justo no que diz respeito à sexualidade: será adepto de sua vinculação ao amor ou viverá o sexo de forma mais simples e descompromissada? O sexo fará parte das coisas sérias da vida ou será mais que tudo parte das brincadeiras e divertimentos que as pessoas se permitirão cada vez mais? Não saberia responder. Sei apenas que o sexo deixará de ser o que é hoje, ou seja, uma manifestação de hostilidade sutil entre os gêneros — ou entre as pessoas — e uma parte do terrível jogo de poder e dominação que se estabelece entre egoístas e generosos.

20 Individualismo é um termo que costuma provocar uma reação negativa na maior parte das pessoas porque parece sinônimo de egoísmo, o que não faz o menor sentido, uma vez que o egoísta costuma ser a favor dos grupos exatamente para poder encontrar alguém a quem parasitar. O individualismo aconteceu em decorrência dos avanços tecnológicos já citados e acabou por determinar importantes alterações na forma de ser e de se portar de toda uma nova geração, o que, por via indireta, influenciou também os mais velhos. O individualismo corresponde, de fato, a uma aquisição importante: maior capacidade para ficar sozinho, ainda que por força da existência de uma gama enorme de ocupações interessantes e individuais.

O individualismo acabou por determinar uma grande alteração na forma como as pessoas se relacionam em seus envolvimentos amorosos e também na instituição do casamento. Hoje, são comuns os casais casados que dormem, por exemplo, em quartos separados porque têm hábitos noturnos incompatíveis. No passado, casais que dormiam em quartos separados eram malvistos: ou estariam vivendo uma grave crise na relação ou, até mesmo, em vias de se separar. A capacidade das pessoas de fazer concessões também diminuiu muito, já que elas se tornam cada vez menos necessárias.

Uma pessoa casada pode ir sozinha ao cinema ou fazer visitas a amigos e parentes sem que isso seja interpretado como sinal de que esteja para se divorciar. Assim, em vez de sempre fazerem concessões, os membros do casal estão cada vez mais libertos da obrigação de estar juntos o tempo todo, o que determina um estilo de vida novo e um novo romantismo, muito mais respeitoso da forma de ser de cada um. O amor de fusão, próprio do ideal romântico do século XIX e de boa parte do século XX, exatamente aquele que provocava maior medo em função de seu caráter muito exigente, está com os dias contados. Tende a ser substituído por um novo formato: em vez da fusão das duas metades, cada um percebe a si mesmo como um inteiro — apesar de certa sensação de incompletude —, e por conta disso busca a aproximação, e não a fusão com o parceiro. À aproximação de dois inteiros tenho chamado de +amor, mais que amor, algo que se aproxima muito da amizade, do companheirismo. Trata-se de uma aliança que ameaça muito menos a individualidade e que é muito mais compatível com a realidade dos dias que correm.

Além de influenciar positivamente a solução dos dilemas relativos ao amor, penso que o individualismo contribui de maneira decisiva para a resolução da dualidade egoísmo–generosidade. Assim, penso que se trata de uma das mais importantes conquistas da nossa época, algo que poderá ter um desdobramento muito positivo se for entendido como parte do processo que nos liberta e nos faz mais fortes interiormente. Pessoas mais auto-suficientes dificilmente farão parte das tramas que envolvem as tradicionais relações de dominação que têm caracterizado nossa vida em comum.

A verdade é que, no contexto das famílias de antigamente, jamais atingíamos um grau de identidade e de individualidade similar ao que podemos ter hoje. Defender aquele modo patriarcal de formar as novas gerações parece-me absolutamente desprovido de sentido. Não vivíamos em alianças solidárias e agora passamos a viver sozinhos. Vivíamos em um regime de tirania que se afrouxou graças ao individualismo. É fato que outras crenças também se afrouxaram e que temos vivido um período de desorientação e de falta de rumo. Isso, porém, não deve ser debitado ao individualismo, mas ao rápido desenvolvimento tecnológico que tem nos atropelado com a propagação de novos bens com os quais não temos sabido lidar adequadamente.

Não quero avançar muito no terreno das suposições, tentando saber como será o ser humano justo, pois me aflijo quando nos afastamos demais da realidade. Sem-

pre que isso acontece, os erros tendem a se multiplicar. Não será minha a tarefa de conhecer melhor a conduta dos justos, uma vez que não creio ser possível prever avanços muito rápidos nas áreas de comportamento. Talvez possamos vir a conhecer um número crescente deles, hoje muito raros. Os justos poderão vir tanto do domínio do egoísmo, graças a avanços indiscutíveis, como da generosidade, por meio de avanços que parecerão retrocessos. Ambos os acontecimentos são difíceis porque esbarram na necessidade de ruptura, de quebra do padrão que os governa. É muito difícil mudar qualquer coisa em nossa subjetividade, mas, apesar das dificuldades, acredito na possibilidade de evolução tanto para egoístas como para generosos.

Uma coisa me parece clara e muito relevante: como o justo será uma criatura contente com seu modo de ser, terá boa auto-estima. Por isso, a justiça será uma condição difícil de ser atingida, mas estável e sólida depois de conquistada. Creio que só mesmo razões muito fortes vão tirar o justo da sua condição, e ainda assim por pouco tempo. Na prática, isso significa que o justo terá muito mais controle sobre sua vaidade, que, como penso, se exerce mais livremente quando estamos diante de um decréscimo da auto-estima. A vaidade não nos abandonará jamais, e é bom que seja assim, pois, ao menos em parte, ela é responsável por nossas defesas. Quando somos ofendidos de modo sutil, quando somos humilhados, é ela que nos dá o sinal de que a condição nos é desfavorável, o que nos ajuda a melhorar nosso posicionamento diante das pessoas e situações.

Porém, a vaidade é a grande responsável pela tendência que temos de fazer radicalizações de todo o tipo, uma vez que ela se alimenta do destaque e este surge com facilidade quando nos comportamos de modo extravagante, excêntrico — literalmente, fora do centro ou do eixo. São manifestações da vaidade todos os excessos: cuidados extremados com o corpo, exagerado consumismo ou radical renúncia a ele, ambição social, intelectual ou de poder etc. As radicalizações passam por cima dos outros, ainda que movidas pelas mais belas idéias. A vaidade gera um agravamento da competição, ainda que leal, perigosa, e que distancia as pessoas umas das outras, transformando-as em oponentes, inimigos, concorrentes, rivais, objetos da inveja — e como são comuns todos esses sentimentos!

A vaidade provoca também a radicalização da generosidade, aumentando as boas ações que atiçam cada vez mais as más, de onde deriva minha convicção de que o bem e o mal são apenas as duas faces da injustiça. A vaidade pede alimento a qualquer custo, remédio necessário para a baixa auto-estima. O destaque implica o alcance de condições só acessíveis a um pequeno número de pessoas. A vaidade pede beleza extraordinária, riqueza extraordinária, cultura extraordinária, generosidade e renúncia extraordinárias. Ela pede e promete o tipo de prazer e felicidade que chamei de aristocrática.

A felicidade aristocrática condena à infelicidade a grande maioria das pessoas. Sim, porque a riqueza só é motivo de destaque porque é distribuída de forma bem desigual, favorecendo uma minoria. Quando a beleza se torna excessivamente valorizada, ela condena à infelicidade a maioria das pessoas. O mesmo vale para a cultura e também para a capacidade de dar e de se doar cada vez mais, ou então de tomar para si o que não lhe pertence de maneira radical e abusada.

31 trinta e um

O que acontece com a justiça? Apesar de parecer, aos nossos olhos de hoje, tão difícil de ser atingida como forma de vivenciar as relações íntimas e também as de natureza social, uma vez descoberto o caminho, é conduta acessível a todas as pessoas. O fato de uma pessoa ser muito generosa implica forçosamente o egoísmo de outras. O ser justo não condena ninguém à injustiça! Cabem todos no campo da justiça, o que definitivamente não acontece com a generosidade. Assim, a justiça é parte do prazer — ou satisfação íntima geradora de boa auto-estima — que pode ser chamado de democrático, acessível a todos. Se formos capazes de valorizar os prazeres democráticos, acabaremos por provocar uma melhora importantíssima nas relações interpessoais, já que a inveja e a competição serão inexoravelmente bem menores.

Parece-me muito claro também que os prazeres democráticos têm na vaidade um inimigo muito forte. Como nos destacaremos pela posse de algo que os outros também têm ou podem vir a ter? Talvez seja essa uma das razões pelas quais lutamos tão pouco por satisfações que não nos destacam, apesar de fazerem parte de algumas das nossas maiores fontes de felicidade. Outro prazer democrático é o amor, pois o fato de estarmos felizes sentimentalmente não diminui em nada a chance de os outros casais também serem felizes. O mesmo vale para o encantamento que as artes possam nos despertar, bem como o conhecimento, o gosto pela prática de esportes de forma não competitiva, enfim, tantas coisas simples e acessíveis a todos e às quais nos dedicamos tão pouco.

Na prática, trocamos quase todos os prazeres importantes e democráticos pelo destaque aristocrático que é pedido pela vaidade. Não há como continuarmos a subestimar a importância desse processo. Não há como não se posicionar contra a vaidade, apesar de sabermos que ela é parte inerente de nosso instinto sexual e que jamais conseguiremos nos livrar totalmente dela. Porém, não é inexorável que tenha a importância que adquiriu na vida pessoal e coletiva de todos nós. Não precisamos construir uma ordem social e uma vida pessoal tão submissas a ela. Não tem cabimento renunciarmos a tudo que é essencial e razoável apenas para buscarmos nos sentir especiais física, financeira ou intelectualmente. Deve haver uma forma de existir mais consistente do que essa. Deve ser possível sentir-se bem sendo uma pessoa que busca uma vida justa, alicerçada em relacionamentos afetivos equilibrados, e em uma atividade profissional gratificante, mas que não seja exageradamente competitiva.

Nenhuma emoção ou sentimento que tenham fundamento em nossa estrutura instintiva — ou que tenham sido reforçados pelas crenças que todos herdamos e que têm solidez quase biológica — **desaparece apenas porque vamos nos opor racionalmente a eles. Nem o ódio, nem o ciúme, nem o amor são assim obedientes. Muito menos a vaidade. Acontece que o reforço da razão aumenta muito o poder de influência do sentimento e a oposição da razão tende a arrefecê-lo.** Ao concordarmos que o ciúme é parte integrante e inexorável do amor — e até mesmo um indicativo de sua intensidade —, e ao aceitá-lo sem reservas, nos tornamos mais possessivos e ciumentos do que se nos colocarmos em oposição a ele. O ciúme não desaparecerá, mas ficará, ao menos em parte, sob controle da razão, o que, aos poucos, levará ao seu enfraquecimento. Penso que o mesmo vale para a vaidade e seus agregados: a competitividade, a ambição e a radicalização de posições morais e intelectuais de todo o tipo.

Penso que, passada a dor inicial, ao abrirmos mão dos efêmeros prazeres da vaidade — tão efêmeros que estão sempre a exigir novos fatos e novos destaques —, nos encontraremos diante de prazeres bem mais estáveis e sólidos. Acho que vale a pena deixar a vaidade de lado — ao menos, o máximo que conseguirmos — para melhor usufruirmos as delícias da auto-estima, de sólidas relações afetivas e de amizade, vínculos estáveis até mesmo com nossos bens materiais de valor real (como é o caso da nossa casa, objetos que herdamos de pessoas queridas, caneta de estimação, relógio, livros, discos etc.), e também de uma postura moral verdadeiramente comprometida com a justiça. A maior probabilidade é que a auto-estima crescerá quando formos capazes de nos colocar de forma similar ao que foi escrito. Repito: estamos diante de um "retrato falado", de algo de que poderemos vir a nos aproximar caso consigamos avançar na direção da justiça.

Indivíduos justos e que dominam a própria vaidade não se consideram os salvadores da pátria, os heróis que libertarão seu povo das atrocidades de tiranos — e, se não tomarem enorme cuidado, ao conseguirem sucesso se transformarão em criaturas muito semelhantes às que quiseram derrubar. São, isso sim, participantes, membros dignos da comunidade em que vivem. Querem viver de forma socialmente útil e esperam a devida recompensa por seus esforços. Não vivem como competidores desenfreados nem estão atolados no ódio derivado do sentimento de inveja. Podem viver em paz e se orgulhar da vida digna que levam.

32 trinta e dois

Mas será que agüentamos isso? Parece tão bom, tão simples, e até mesmo muito mais fácil de ser alcançado que o sucesso que tantos de nós se esforçam por buscar e raramente encontram. O que descrevi corresponde ao "ter chegado lá", mas parece que as pessoas preferem mesmo o "correr atrás". Não creio que tenha usado com propriedade o termo "preferem". Talvez seja "conseguem". Ou seja, parece que é fácil atingir o estado de serenidade, de harmonia interior e de um estilo de vida digno e razoável, mas que as pessoas não conseguem lidar com ele porque determina certa depressão, um grande vazio. É como se nossa vida, plena de significado e de gratificações palpáveis, perdesse, de uma hora para outra, o sentido.

É mais que fundamental sermos capazes primeiro de refletir e depois de avançar em relação a esse assunto de enorme relevância para que consigamos ser criaturas mais felizes. Aprendemos a viver, de certa forma, em decorrência da forte influência do ambiente social no qual crescemos. Considero essencial registrar que a dificuldade de usufruir a serenidade descrita não é universal. Por exemplo, as pessoas que cresceram em uma pequena cidade do interior, desde que sejam portadoras de uma condição material razoável, e que não tenham sido exageradamente contaminadas por informações que dão conta de um estilo de vida aparentemente muito mais interessante — cada vez mais uma condição rara por força dos meios de comunicação de massa que chegam a toda parte —, muito provavelmente terão um psiquismo bastante diverso do nosso e serão muito mais competentes para levar uma vida serena, fato que ainda acontece com várias pessoas que permanecem na sua cidade. Na verdade, não podem ambicionar aquilo que sequer conhecem bem. Talvez seja razoável pensar da seguinte forma: os avanços da civilização que geraram a ciência e a técnica necessárias para que pudéssemos ter uma qualidade de vida concreta e prazerosa trouxeram consigo o embrião de um estilo de vida exigente e perturbador da serenidade recém-adquirida[21].

21 Nossas crenças têm sido abaladas pela velocidade das transformações a que temos assistido. Isso nos deixa perplexos e perdidos, principalmente porque parece que sempre nos surpreendemos com o que nos acontece. É como se não tivéssemos a menor idéia das conseqüências dos avanços que temos sido pródigos em criar. A impressão que dá — e que provavelmente corresponde à verdade — é que tudo tem acontecido sem a menor premeditação, como se fôssemos vítimas de processos sobre os quais não temos nenhum controle. Nem nós, nem ninguém!

Será que antes do surgimento de remédios como o Viagra as pessoas responsáveis pensaram na possibilidade de homens mais velhos, mais seguros de sua sexualidade, se reconhecerem com forças para romper casamentos que antigamente durariam para sempre? Pensaram em como isso repercutiria na vida das mulheres mais velhas? Nas conseqüências disso tudo para a vida afetiva e sexual da sociedade como um todo? Não creio. Tudo parece caminhar aos trancos e barrancos, seguindo um rumo casual, descontrolado. Mais recentemente, têm ▸

surgido algumas reflexões antecipadas a respeito de assuntos novos e muito relevantes, como é o caso dos temas relacionados com a clonagem e a engenharia genética. Espero que não sejam fatos isolados e que inaugurem uma época em que pensemos um pouco antes de mergulharmos em aventuras inovadoras e com repercussão social importante.

Acredito, pois, que temos sofrido pressões para mudanças de fora para dentro, do social para o psicológico, o tempo todo. As mudanças que acontecem no social derivam de avanços tecnológicos, fruto da inteligência de alguns homens e mulheres — e também da esperteza de empreendedores. Tais mudanças vão alterar nossas crenças, de modo que os alicerces sobre os quais estão crescendo as novas gerações são muito diferentes dos alicerces sobre os quais cresceram seus pais. Serão criaturas bastante diferentes de nós. Temos de aproveitar para nos beneficiar daqueles ventos que nos chegam de fora, fruto indireto das idéias e avanços de conhecimento que temos sido capazes de gerar. Essas mudanças psicológicas poderão desembocar em uma nova forma de ser. Pessoas assim modificadas — ainda que por processos aleatórios — poderão, um dia, ser capazes de construir uma ordem social mais justa, que respeite as limitações de muitos e as diferenças existentes entre todos nós.

Não há dúvida de que hoje podemos ter uma condição de vida muito mais confortável do que até há poucas décadas. Ao mesmo tempo, somos estimulados a jamais nos saciarmos, a viver como escravos da vaidade e de seus derivados. Aderimos ao jogo competitivo porque somos estimulados a isso, porque temos momentos de fraqueza em nossa auto-estima, e isso enfraquece nossas convicções. Aderimos a tudo isso também porque não sabemos lidar com a paz, a serenidade, a felicidade e a desocupação sem nos sentirmos ameaçados e deprimidos.

Vários são os ingredientes que participam desse processo, aos quais já me referi neste e em outros textos. São eles, entre outros, o medo da felicidade — a sensação de tragédia iminente quando estamos bem; a tendência a nos ocuparmos mais com o caráter mortal de nossa condição e com as incertezas que efetivamente definem o nosso futuro — preocupações muito menores quando estamos empenhados em alguma atividade, em especial as de natureza competitiva; a consciência da insignificância cósmica e do desamparo total que verdadeiramente caracterizam nossa existência — consciência essa muito dolorosa e que nos leva a buscar desesperadamente algum valor relativo, um valor maior que o dos outros, o que reforça nossa vaidade ainda que prejudique nossa auto-estima.

Acho interessante reintroduzir aqui mais um importante ingrediente nesse já dramático caldeirão, relacionado com os erros que temos cometido a respeito da reflexão moral e que nos leva a perceber a condição de felicidade e serenidade como algo indigno, medíocre, pior. Existe uma "ética do sacrifício" embutida no conceito de generosidade, pela qual o mais virtuoso e digno é aquele que vive uma vida difícil, tormentosa, sofrida mesmo. Assim, a grandeza é propriedade daqueles que levam uma vida árida, cheia de renúncia aos prazeres, matriz do novo prazer que é o prazer da renúncia.

Ou seja, **de acordo com a forma como fomos ensinados a pensar a respeito da questão moral, são mais dignos e virtuosos os que sofrem; em especial, aqueles que vivem de forma dolorosa e difícil por livre opção.** Sempre brinco com meus pacientes mais generosos dizendo que, se estivessem diante de duas filas e precisassem escolher entre a que nos leva a tomar um sorvete e outra para tomar injeção, não titubeariam em optar pela segunda!

É absolutamente essencial que sejamos capazes de nos livrar desse terrível condicionamento, que nos impõe uma vida de ocupação competitiva permanente e a

busca ativa das maiores adversidades e dos caminhos mais tortuosos. Não costumamos sequer ser capazes de passar férias merecidas nos entretendo com a conversa dos amigos à beira-mar sem que estejamos ingerindo doses entorpecedoras de álcool — substância que, como outras drogas, parece permitir mais facilmente momentos de relaxamento e usufruto do ócio e de outros eventuais prazeres. Será ingênuo imaginarmos que conseguiremos, como sociedade, nos opor ao tráfico e ao consumo de drogas enquanto muitos de nós não conseguem sequer passar um domingo em casa sem a ajuda de algum tipo de bebida. Caso estejamos desocupados numa terça-feira à tarde, quantos de nós "conseguem" ir ao cinema assistir ao filme que tanto queríamos ver e que está prestes a sair de cartaz?

Nada me parece mais injusto que os fatos descritos logo acima, os que impedem uma pessoa digna — sim, porque tais impedimentos só existem exatamente nelas — de usufruir merecidos e singelos momentos de prazer e felicidade. A satisfação está interditada até mesmo para prazeres menores. Se é óbvio que o egoísmo e a maldade se exercem no campo da injustiça, penso que fui capaz, ao longo deste livro, de demonstrar meu ponto de vista, de que a generosidade e a bondade fazem parte do mesmo campo: o da injustiça.

Concluo repetindo de forma intencional o que já afirmei: o bem e o mal são duas manifestações próprias do domínio da injustiça. O domínio da justiça, para onde penso que deveríamos nos encaminhar da forma mais

rápida que cada um de nós puder, não tem nada que ver com essa polaridade e muito menos com a disputa milenar que as duas facções travam. O universo da justiça é único e nele há espaço para todos.

LEIA TAMBÉM

A LIBERTAÇÃO SEXUAL

Flávio Gikovate

Este é um livro comprometido com os movimentos emancipatórios que se iniciaram na década de 1960. Gikovate descreve, de modo claro e original, a aliança que existe, em nossa cultura, entre sexo e agressividade. O aspecto mais fascinante do trabalho corresponde à descrição de como os mais recentes desdobramentos da revolução sexual vem contribuindo positivamente para que essa associação milenar se desfaça em breve.

REF. 50029 ISBN 978-85-7255-029-1

SEXO

Flávio Gikovate

Afirmando que sexo e amor são dois impulsos autônomos, Gikovate sublinha a associação entre sexualidade e agressividade. Também mostra que desejo e excitação são bem distintos: o primeiro é elitista, baseado na sociedade de consumo; a segunda constitui um prazer democrático. Assim, o autor propõe que reconsideremos a louvação atual do desejo, já que ele está a serviço da preservação do egoísmo e da imaturidade emocional.

REF. 50064 ISBN 978-85-7255-064-2

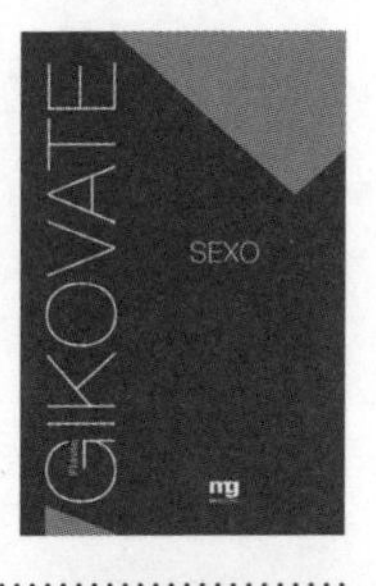

ENSAIOS SOBRE O AMOR E A SOLIDÃO

Edição revista

Flávio Gikovate

Neste livro, Gikovate se aprofunda no tema do amor, mostrando suas diferentes roupagens – enamoramento, paixão, atração sexual – e como lidar com elas. Aborda também um problema que atinge até as relações amorosas mais plenas: a possessividade. Propondo uma nova forma de aliança íntima, inspirada na amizade profunda, o autor mostra ainda que a solidão (temporária ou como escolha de vida) é primordial para nosso desenvolvimento.

REF. 50045 ISBN 978-85-7255-045-1

UMA NOVA VISÃO DO AMOR

Edição revista

Flávio Gikovate

O amor, por ser considerado o mais nobre dos sentimentos, raramente é associado a elementos negativos, o que impede uma reflexão crítica. Além disso, o contraponto entre esse sentimento e a razão leva à depreciação da segunda. Analisando novas formas de relacionamento, baseadas na consciência de que somos seres plenos e não apenas metades em busca de complemento, este livro derruba diversos tabus sobre o assunto.

REF. 50055 ISBN 978-85-7255-055-0

Grupo Summus
www.gruposummus.com.br
www.gruposummus.com.br
Acesse, conheça o nosso catálogo e cadastre-se para receber informações sobre os lançamentos.

www.gruposummus.com.br